VIVANT !

GÉRARD DEPARDIEU
LAURENT NEUMANN

VIVANT !

Plon

Voilà un ouvrage « bien écouté » ! Conforme à ma pensée du moment.

Ces conversations, initiées par Laurent Neumann, m'ont permis de me remémorer des souvenirs agréables et de remuer aussi des choses désagréables. Mais sans complaisance aucune, ni de sa part, ni de la mienne j'espère.

Ce livre me laisse espérer que, du haut de mes cinquante-cinq ans, je ne suis ni un monstre, ni un type bien. J'ai juste envie de suivre ceux que j'aime et qui m'aiment, sans trop les faire souffrir. Malgré ma nature parfois excessive, je dois le confesser.

Laurent, je te suis reconnaissant d'avoir mené à bien ce travail qui n'a pas dû être facile pour toi.

Merci et amitiés.

G. Depardieu

PROLOGUE

« JE SUIS VIVANT ! »

> « La modération est fatale. Rien ne
> réussit autant que l'excès. »
>
> Oscar WILDE.

*Paris, le 19 avril 2004, au domicile de Gérard Depardieu,
rue Leconte-de-Lisle.*

Laurent NEUMANN — Cela fait près de quatre ans que
je tente de te convaincre de faire ce livre. Aussi, avant
d'entrer dans le vif du sujet, j'aimerais te demander
pourquoi, après avoir hésité aussi longtemps, tu as finalement accepté le principe de ce long entretien. Pourquoi ?
Et pourquoi maintenant ?

Gérard DEPARDIEU — Ce qui m'a décidé, c'est d'abord
ton insistance, ton obstination devrais-je dire. (*Rires.*)
Franchement, à la longue, j'ai cru que tu finirais par te
lasser. J'ai accepté de faire ce livre parce que tu as tenu
bon. Pour moi, c'était bon signe. J'ai accepté, aussi, pour
mes enfants, pour Roxane, Julie, Guillaume, pour mes
amis... J'ai envie d'écrire, mais je n'ai jamais le temps. Il
m'arrive de prendre la plume, bien sûr, mais par pulsion.
Un jour, je prendrai le temps, vraiment...

— A lire ce qui s'écrit sur toi, ta carrière, ta vie privée compliquée, on a l'impression qu'il y a une sorte de « malentendu Depardieu ». Depuis plusieurs années, ton image publique semble brouillée. Peut-être, à travers ce livre, as-tu aussi envie de lever quelques ambiguïtés, de rétablir quelques vérités...

— Dire ma vérité, oui, certainement. Mais je n'ai accepté de faire ce livre ni pour me justifier, ni pour me faire aimer. Très honnêtement, je me fous de mon image. Comme disait Peter Handke : « Je ne sais rien de moi à l'avance. Mes aventures m'arrivent quand je les raconte. » Oui, j'ai des choses à dire, sans doute. Mais j'ai surtout des choses à entendre. Je sais que tu vas poser des questions qui vont m'obliger à entendre ce que je n'ai pas forcément envie d'entendre. C'est aussi pour cette raison que j'ai accepté le principe de ces conversations.

— Tu as déjà pris la plume, en 1988, pour dire un certain nombre de choses qui te tenaient à cœur. Dans *Lettres volées* (J.-C. Lattès), tu t'adressais, sous la forme épistolaire, à tes parents — le Dédé et la Lilette —, à ta femme Elisabeth, à François Périer, Patrick Dewaere, Jean Carmet, Maurice Pialat...

— Oui, c'était un livre personnel, un livre d'amour même. Mais je ne l'avais pas fait seul. Olivier Dazat m'avait beaucoup aidé. Il m'avait accouché en quelque sorte. C'est l'agonie de ma mère qui avait déclenché cette envie, ce besoin d'écriture... (*Long silence.*) L'agonie de ma mère... (*Silence encore.*) Mon père, lui, est parti deux mois plus tard. La mort de la Lilette était pour lui une vraie surprise, une chose inconcevable. Pas un seul instant il n'avait imaginé qu'elle puisse disparaître. J'ai commencé ce livre quand elle est morte, je l'ai achevé au moment où mon père s'en est allé à son tour.

— Qu'est-ce qui, aujourd'hui, motive à nouveau l'urgence de ce livre ?

— Je ne sais pas. Sans doute parce que tu as su m'en convaincre. Sans doute aussi parce que je me rends compte, en vieillissant, que j'éprouve de vraies difficultés à dire les choses, à mettre des mots sur ce que je ressens. C'est difficile de verbaliser ses sentiments...

— Difficile de dire « je t'aime » ?

— Sans doute, oui. François Truffaut avait le même complexe que moi. C'est plus facile sur un plateau de cinéma ou sur une scène de théâtre quand le texte est beau, quand tout est déjà écrit... Tout ce que je dis à mes proches, je leur dis de vive âme. Ça vient du cœur, du fond des tripes. Et parfois, forcément, c'est maladroit. En y réfléchissant, tu as peut-être raison : c'est plus facile d'écrire les choses que de les dire. Et puis, avec l'âge, je prends conscience de tout ce que j'ai raté. En fait, j'ai essentiellement raté ceux que j'aime.

— C'est terrible de dire cela...

— Peut-être, mais c'est la vérité. C'est même l'une des composantes essentielles de ma vie : je rate ceux que j'aime. (*Silence, Gérard allume sa première cigarette.*)

— Avant d'évoquer les gens qui te sont chers, j'aimerais savoir comment tu vas, là, tout de suite, maintenant.

— Je vais assez bien. *Abbastanza bene.* Oui, je vais assez bien, mais je n'ai plus l'énergie de mes trente ans ou de mes quarante ans. Je ne dirais pas l'énergie de mes vingt ans parce qu'à vingt piges mon énergie n'était pas forcément canalisée. Je n'ai pas eu d'éducation. Mon éducation, c'était les autres, c'était la rue. Je n'ai pas eu d'adolescence. Dès l'enfance, j'ai été un adulte, avec les qualités et les défauts d'un adulte. Ma première expérience d'adulte, je l'ai eue vers huit ans.

— Quel genre d'expérience ?

— Une nuit blanche. J'étais parti, comme ça, sans rien dire à mes parents, vers la fête foraine. J'ai passé la nuit entière avec des soldats américains de la base militaire de Châteauroux. J'avais huit ans et j'étais déjà attiré vers le large. Et pour moi, le large, c'était la rue. J'avais huit ans et je me rendais compte qu'il fallait être adulte pour échapper à tout ça, à la famille, à l'école, au deux-pièces de la rue du Maréchal-Joffre où l'on vivait. Par chance, mes parents ne m'interdisaient rien. Je pouvais faire absolument tout ce que je voulais. Et quand, à cet âge-là, tu n'as aucun interdit, tu passes directement de l'enfance à l'âge adulte. L'adolescence m'a rattrapé, bien plus tard.

— Tu veux dire que tu as très tôt cessé d'être insouciant ?

— Oh, ça fait longtemps, oui ! (*Rires.*) Disons qu'aujourd'hui il m'arrive parfois de m'offrir le luxe d'être insouciant. L'ennui, c'est que j'en suis tellement conscient que ça en devient presque désagréable pour mes proches et pour moi-même. Tu vois, en lisant *Les Confessions* de saint Augustin (*il pose la main sur le livre qui se trouve sur son bureau*), j'ai retrouvé des choses qui sont en moi.

— La foi ?

— Non, pas la foi. Je crois en Dieu, même si j'ignore lequel. Mais je ne peux pas dire que j'ai la foi. En revanche, j'ai compris avec saint Augustin, en voyant le courage dont il a fait preuve pour accomplir le chemin, j'ai compris que, moi aussi, je suis un être vivant. Je n'ai peut-être plus l'énergie de mes trente ans, mais je suis VIVANT ! Je serais vraiment prétentieux de dire que je vais bien. En fait, pour dire la vérité, c'est une question que je ne me pose jamais.

— Tu peux comprendre que les autres se la posent ! En juillet 2000, tu as subi un quintuple pontage (trois dans le thorax, deux dans la cuisse) à l'hôpital Foch de Suresnes, dans le service du professeur Gilles Dreyfus. Je ne parle pas des accidents de moto à répétition, de tes problèmes liés à l'alcool, de ton divorce, des ennuis de santé de ton fils, Guillaume... Ça fait beaucoup pour un seul homme !

— Mais non ! Je vais « assez bien ». Tout cela fait partie du « bien », c'est la vie ! Le « assez », en revanche, fait partie de moi. C'est un problème entre moi et ma conscience, entre moi et mes doutes. L'alcool, par exemple, et les risques que cela implique : j'ai toujours cru que je n'étais pas alcoolique. Aujourd'hui, c'est vrai, je me pose des questions. Je me dis qu'en effet je suis peut-être un alcoolique. (*Gérard allume sa deuxième Gitane.*)

— C'est nouveau que tu l'admettes. Il y a dix ans, tu réfutais cette évidence en disant que tu pouvais cesser de boire quand tu voulais...

— Oui, c'est vrai, mais aujourd'hui, je sais que la boisson est un problème. Peut-être parce que, après vingt-huit ans de psychanalyse, j'affronte plus facilement certaines vérités.

— Vingt-huit ans d'analyse !

— Oui, vingt-huit ans ! J'ai même enterré deux psychanalystes, dont l'un a joué un rôle fondamental dans ma vie. Il s'appelait Francis Pache, un homme magnifique, un freudien, membre de l'Institut. Lui seul est parvenu à me révéler des choses sur moi-même. Mais l'on n'en a jamais fini avec une analyse. C'est sans doute pour cette raison que je ne me suis toujours pas décidé à écrire sur moi-même... Certains écrivent sur eux pour se faire du bien. C'est inouï le nombre de romans ou d'autobiographies où les auteurs livrent les tréfonds de leur intimité. C'est ce que j'appelle l'écriture cathartique. Moi, je n'ai pas l'organisation de la pensée que suppose ce type d'écriture. J'écrirai lorsque je serai au clair avec moi-même. L'heure n'est pas encore venue.

— Tu as dit à plusieurs reprises que tu avais frôlé la mort, que tu avais vu la fameuse « petite lumière blanche ». Une pareille expérience change forcément un homme, non ?

— J'en suis sorti différent, avec de nouvelles certitudes, avec de bonnes résolutions aussi. Mais je replonge aussi sec. Je retombe dans le quotidien de la vie en ignorant cette « petite lumière » qui, dirait saint Augustin, participe de la foi. Honnêtement, il y a des moments où je préférerais avoir la foi permanente. Mais, hélas, ma foi n'est qu'intermittente. Voilà, c'est ça : j'ai la foi intermittente du spectacle ! (*Rires.*) Ou la foi intermittente du spectateur, si tu préfères. En fait, ce sont les emmerdements quotidiens qui me font peu à peu oublier que j'ai vu cette petite lumière blanche. Et puis, c'est aussi dans ma nature. Il arrive un âge où, disait Mitterrand, on ne change pas un homme...

— C'est quoi, au juste, ces « emmerdements » ?

— Mon divorce, mes enfants... Plein de choses ! (*Troisième cigarette.*) Mes emmerdements proviennent essentiellement de ma manière de gérer mes relations avec ceux que j'aime, mes enfants par exemple. Je les écoute, j'essaie de les aider, de subvenir à leurs besoins matériels avec les moyens dont je dispose. Mais je sais que c'est une façon de me mentir à moi-même. Je pense qu'en leur offrant des cadeaux ou en leur donnant de l'argent, je vais m'en sortir, gagner leur amour, être en paix avec moi-même, pallier mes absences. Mais tout ça, c'est de la foutaise ! Je sais très bien qu'en fonctionnant de la sorte je ne m'en sors pas. Les choses seraient sans doute beaucoup plus simples si j'étais plus rigoureux avec eux et avec moi-même. Mais je n'y parviens pas. Je n'ai pas été éduqué comme ça. Je n'ai pas eu de modèle pour vivre ainsi. En fait, je sais très bien qu'inconsciemment je perpétue, avec mes enfants, le schéma que j'ai moi-même connu avec mes parents. Pour dire les choses simplement, je les aime, mais sans doute pas de la meilleure manière. Leur rendre des services, les aider, leur faire des cadeaux ou leur donner de l'argent, ce n'est pas la meilleure façon de leur dire « je t'aime ». Voilà... Mais tous les parents commettent des erreurs avec leurs enfants, non ?

— Sans doute, mais en disant cela, tu penses d'abord à Guillaume...

— Oui. Je m'y prends plus mal avec lui. J'ai plus de chance avec les filles. (*Rires.*) Je commets moins d'erreurs avec Julie (*la fille de Gérard et Elisabeth Depardieu*) et avec Roxane (*la fille que Gérard a eue en 1992 avec Karine Sylla*). J'ai plus de chance avec elles. Peut-être qu'elles me comprennent mieux. Elles me donnent des ailes.

— As-tu pris le temps de lire le livre de Guillaume (*Tout donner*, Plon, 2004) ?

— Non, je ne l'ai pas lu, je l'ai parcouru. En fait, je n'ai pas voulu le lire. Ecoute-moi bien, je suis sincère en te disant cela : j'espère du fond du cœur que ce livre lui a fait du bien. D'ailleurs, je le crois, qu'il lui a fait du bien, je le sens. J'ai juste regretté qu'il l'ait écrit avec Marc-Olivier Fogiel. D'ailleurs, pour avoir osé dire cela, j'ai reçu un mot d'insultes de Fogiel sur le thème : « Mais que savez-vous de ma vie ? Vous croyez que moi aussi je n'ai pas souffert ? » Ce jour-là, j'ai encore perdu une occasion de me taire. En fait, je ne regrette rien de ce livre. Au contraire. Je trouve merveilleux que Guillaume ait pu dire et écrire tout ce qu'il avait sur le cœur. A en croire des proches qui l'ont lu, ce qu'il dit de moi n'est pas si terrible que cela. J'ai des défauts, beaucoup de défauts même, je n'ai sans doute pas toujours été à la hauteur de ses attentes. Il le dit avec ses mots à lui, en toute franchise. C'est bien. Je n'ai rien à redire à cela. Ce livre est peut-être le signal d'un nouveau départ pour lui. Il va lui permettre d'être enfin lui-même, d'aller au bout de ce qu'il a en lui, tout en prenant une certaine distance avec lui-même... Je crois profondément que Guillaume est un poète. Pas un dandy génial comme Serge Gainsbourg. Non, un vrai poète, un écorché vif. Il y a du Rimbaud chez Guillaume ! Je sais que certains de mes propos ont été maladroits ou mal interprétés. Si je le compare à Rimbaud, ce n'est pas à cause de la fin tragique du poète. Je souhaite juste à Guillaume de devenir ce qu'il est, d'aller au bout de lui-même.

De toute façon, la fin est toujours tragique, pour tout le monde. On termine tous à l'horizontale. Et Dieu sait s'il est difficile de finir à l'horizontale dans la sérénité ! Moi, j'ai vu ma grand-mère mourir par exemple. Les personnels hospitaliers voulaient absolument la soigner, la prolonger le plus longtemps possible. J'ai fini par virer les toubibs et les infirmières. J'ai viré tout le monde. Pour elle, c'était normal d'aller rejoindre tous les gens qu'elle avait aimés tout au long de son existence. Son heure était venue. Si moi-même j'étais en phase terminale, je n'aimerais pas que l'on s'acharne. Je voudrais partir en pleine conscience. Quand j'ai vu « la petite lumière blanche » dont je t'ai parlé, j'ai ressenti une sorte d'abandon. J'ai senti mes épaules comme libérées d'un poids... Je me souviens aussi d'avoir vu le visage paisible de ma mère dans ses derniers instants. Elle était belle, magnifique, sereine. Mon père, en revanche, paraissait plus angoissé... (*Quatrième cigarette.*)

— Ton père est mort d'un cancer foudroyant à l'hôpital Avicenne de Bobigny en 1988, deux mois à peine après le décès de la Lilette. Je sais que tu venais le voir, le soir, après les horaires de visite. Ceux qui vous ont vus dans ces moments-là, médecins, infirmières, m'ont dit qu'il y avait entre vous une formidable dignité...

— Ça me fait plaisir que tu me dises ça ! Mais tu sais, ce sont souvent les bourgeois qui sont indignes. Cet épisode de ma vie me rappelle une anecdote que j'avais racontée à Maurice Pialat sur le tournage de son film *Le Garçu*. J'étais en train de patauger dans une piscine à Quiberon, le soleil se couchait, il n'y avait plus que moi et un autre type qui, tout à coup, me dit :

« Regardez comme c'est beau.

— Oui, effectivement c'est beau, lui dis-je.

— Je trouve cela d'autant plus beau que je suis un ressuscité.

— Qu'entendez-vous par "ressuscité" ?

— Je suis un greffé du foie. J'ai traîné un cancer pendant deux ans. J'attendais la mort. Ma femme attendait ma mort, mes enfants attendaient ma mort... J'avais donc tout préparé. Quand on m'a greffé un foie tout neuf, toute ma famille était persuadée que j'allais faire un rejet, que la greffe ne prendrait pas. Bref que j'allais mourir ! Et je suis là, aujourd'hui, vivant, bien vivant, devant ce coucher de soleil merveilleux, à jouir de ma nouvelle vie. Je n'arrête pas de baiser. J'ai divorcé, je suis bien...

— ...

— Ne dites rien, profitez de ce coucher de soleil et jouissez, mon vieux ! Jouissez ! »

Eh bien voilà, je suis comme lui. Je suis vivant et je jouis de la vie !

— Toi aussi, tu as cru que tu allais passer l'arme à gauche ?

— La mort, je la programme tout le temps !

— Qu'est-ce que tu veux dire par là ?

— Oui, la mort, je la programme tous les jours. Parce que je suis trop vivant, trop viveur, trop jouisseur... (*Puis, d'une voix amusée.*) Je suis trop tout ! Je tire assez sur la corde pour ne pas prévoir la conséquence ultime. Je sais depuis longtemps comment le film va se terminer. La fin est écrite. Je devrais sans doute lever le pied, mais ce n'est pas ma nature. La demi-mesure, ce n'est pas mon genre. Je fais tout dans l'excès, dans l'abondance.

— Là, par exemple, ça fait un peu plus d'une heure qu'on est ensemble et tu es déjà en train de griller ta cinquième Gitane ! Or, je suppose que les médecins t'ont vivement conseillé d'arrêter, non ?

— Oui. Dans mon cas, la cigarette, ce n'est pas bon. Ce n'est bon pour personne, cela dit. Mais avec les putains de sirops qu'ils mettent dedans, c'est difficile de s'en passer. J'ai déjà arrêté de fumer à deux reprises : chaque fois, j'ai pris douze kilos ! Dans mon métier, douze kilos de trop, ce n'est pas bon non plus. Alors, j'ai repris la cigarette. Pour perdre mes kilos. Je fais beaucoup de sport, je m'entraîne. Je sais qu'en ce moment, je fume comme un pompier parce que dans ma vie, je touche à des choses ultrasensibles qui mettent mes nerfs à fleur de peau.

— Il n'y a pas que la cigarette. Tu travailles beaucoup, tu dors peu, il t'arrive souvent de boire plus que de raison... Dans ton cas, il y a presque quelque chose de suicidaire. C'est pour cela que, dans ta tête, la mort est déjà programmée ?

— (*Long soupir.*) Disons que... Oui, c'est vrai, j'ai toujours cette idée dans la tête. Comme un mystère qui plane autour de moi, mais qui n'a rien de tragique. Quoi que je fasse dans ma vie, quels que soient les événements qui surviennent, il y a toujours quelque chose qui me fait penser à la disparition, à ce mystère de la mort. Mais ce mystère ne me fait pas peur. Au contraire. Je te l'ai dit, je crois en Dieu, mais j'ignore quel Dieu. Sans doute pas en un seul et unique dieu. Non, plutôt en une sorte de présence supranaturelle qui se manifesterait en certaines occasions. Quand j'étais gosse, ce qui me foutait le plus la trouille, c'étaient les hommes. Les hommes et la nature. La montagne, par exemple, me faisait peur. La nuit, en altitude, je voyais ces masses rocheuses, tels des personnages inanimés. Pour moi, c'était la manifestation de Dieu. Dans ces moments-là, tu comprends le voyage d'Ulysse, les épreuves qu'il a pu traverser. C'étaient des peurs d'enfant. Faire la route, pour moi, c'était un peu comme passer des épreuves. Mais la mort, elle, ne me fait pas peur.

— Parmi la liste de tes « emmerdements », tu as évoqué ton divorce...

— Je vais te dire la vérité : le seul véritable emmerdement de ma vie, c'est moi ! Moi seul. MOI ! Bien sûr que mon divorce est un emmerdement. Il y a de la passion dans un divorce, et la passion, paradoxalement, t'entraîne parfois vers des choses laides. Elle induit des réactions dont il n'y a pas lieu d'être fier. Je me rends compte que si ce divorce s'était mieux passé, je vivrais sans doute mieux aujourd'hui, avec tous les gens que j'aime.

— Je constate que depuis la révélation de ton histoire d'amour avec Karine Sylla et la naissance de votre fille, Roxane, en 1992, la presse suit avec assiduité le feuilleton de ta vie privée...

— La presse m'ennuie. Pas seulement la presse *people*. Elle m'ennuie parce que j'ai le sentiment qu'elle tue l'espoir, qu'elle assassine l'espérance. Elle te raconte quotidiennement tout ce qui va mal, sans jamais te dire comment les choses pourraient aller un peu mieux. Je la lis de moins en moins, elle me démoralise.

— Claude Davy, ton attaché de presse et ton ami depuis vingt-cinq ans, me disait encore récemment que tu ne te levais pas le matin sans dévorer les journaux...

— C'est moins vrai aujourd'hui. Désormais, j'ai envie de penser par moi-même. J'ai envie de me réveiller avec le chant des oiseaux. Je ne lis même plus ce qui s'écrit sur moi. Même dans les interviews que j'accorde, je ne me reconnais pas. Dès qu'on me pose une question sur ma vie privée, je ne me reconnais pas dans la réponse que j'ai donnée. Ce n'est pas nécessairement de la faute du journaliste qui retranscrit mes propos. Je crois que je suis maladroit, que je ne trouve pas les bons mots pour exprimer ce que je ressens vraiment. Dans ces conditions, il vaut mieux que je me taise...

— On reparlera de Guillaume, d'Elisabeth, de ton divorce... Mais d'abord, dis-moi, je me suis amusé à faire le calcul : en trente-cinq ans de carrière, tu as tourné plus de cent soixante films de cinéma, une trentaine de téléfilms, tu as joué dans une vingtaine de pièces de théâtre... Aucun acteur français n'a un tel palmarès à son actif. Ni Gabin, ni Delon. Ce n'est pas un peu lourd à porter, cette carrière, la notoriété, la célébrité ?

— Bien sûr que c'est lourd à porter. Mais je n'ai jamais raisonné en termes de carrière. Les films, je les choisis à l'instinct. Naguère, les acteurs étaient dépendants d'un studio. Moi, je suis mon propre studio. Aujourd'hui, ce qui compte pour moi, ce sont les gens que je rencontre, l'histoire qu'on raconte et, surtout, le plaisir de la nouveauté.

— Je n'arrive pas à croire que tu prennes du plaisir sur chaque film...

— Si, si, je t'assure. C'est vrai que je suis devenu de plus en plus impatient. Avec l'âge et l'expérience, je vois les choses un peu plus vite que les autres. Et puis, en vieillissant, j'ai moins le temps. Il m'arrive de dire à un réalisateur : « Bon, cette prise-là, elle est bonne. Pas la peine de la refaire vingt-cinq fois ! »

— Cent soixante films, tout de même, c'est colossal ! J'ai calculé : ça fait une moyenne de quatre à cinq films par an...

— Certaines années, j'en ai fait sept ou huit. Et alors ? Où est le problème ? Il faut de l'énergie, c'est tout. Les films, il faut les jouer, mais il faut aussi les monter, les produire, mettre les gens en rapport les uns avec les autres, il faut aller au charbon, trouver de l'argent, c'est un truc de voyou. C'est ça qui me plaît ! Et puis, on ne peut pas me comparer à Delon ou à Gabin. A leur époque, on tournait moins de films. Il n'y avait pas la même offre télévisuelle, le câble, le satellite, des centaines de chaînes...

— Je vais te poser la question autrement : quand on a fait cent soixante films, reçu autant de récompenses, il arrive un moment où l'on se dit : « Je vais en faire moins, je vais faire des choix. » Or, j'ai l'impression qu'avec toi, c'est exactement l'inverse qui se produit : plus le temps passe, plus tu tournes...

— Non... Enfin, oui... Il y a chez moi une sorte d'impatience, l'envie d'en faire le plus possible. Je crois d'ailleurs que ce n'est pas sans lien avec ma vie privée. Ma vraie vie, ce sont les films, les pièces de théâtre...

— Sauf qu'en tournant cinq, six, sept films par an, on ne crée plus l'envie. Les gens ne se disent plus : « Tiens, on va aller voir le dernier Depardieu », comme on pouvait le dire de Gabin ou de Belmondo.

— Tu as sans doute raison, mais ce n'est pas mon problème. C'est l'affaire des distributeurs, ce n'est pas un problème de création. Je fréquente beaucoup d'hommes d'affaires, mais je ne suis pas Jean-Marie Messier. Je fonctionne d'abord à l'envie. Parfois, il m'arrive de tourner pour rien, gratuitement, par pur mécénat. De même, quand je vois à quel point les Français ont méprisé le travail de Pitof sur son *Vidocq*, un très beau film entièrement tourné en numérique, quand je vois qu'aujourd'hui les Américains lui déroulent le tapis rouge, je suis heureux d'avoir participé à cette aventure.

— Tu dis : « Ma vraie vie, ce sont les films. » Au fond, est-ce que tu ne te sens pas mieux dans la peau de tes personnages que dans celle de Depardieu ? Est-ce qu'en tournant autant de films tu ne cherches pas à fuir ta propre vie pour en inventer d'autres ?

— Tu parles comme mon psy. Mais je crois que c'est un peu vrai. Je ressemble à mon père. Le Dédé était tôlier, compagnon du tour de France. Son chef-d'œuvre, c'était une botte de pompier qu'il avait forgée de ses propres mains. Quand je le regardais travailler avec ses outils, le fer à souder, son masque sur le visage, tout à coup, ce n'était plus mon père, c'était un géant, un artiste. Sa manière à lui d'échapper à sa vie quotidienne. J'ai vécu toute mon enfance avec cette idée dans la tête. Mais le cinéma ne peut se résumer, dans mon cas, à une fuite. Je lis attentivement les scénarios, j'imagine la poésie de la vie qui va s'en dégager à l'écran et je me jette à l'eau, sans trop me poser de questions... Un jour, ma mère a dit à mon père : « Mais enfin, Dédé, pourquoi tu travailles le dimanche ? Si tu te faisais payer au moins... » Et lui, il a répondu : « Mais je ne peux pas me faire payer, c'est dimanche ! » Moi, c'est pareil. Je travaille tout le temps. Sur certains films, je prends des cachets énormes ; sur d'autres, je ne me fais même pas payer. Le premier film avec Marguerite Duras, je l'ai fait pour une caisse de vin. Et du mauvais, en plus ! Elle n'y connaissait rien en pinard !

— C'est en faisant l'acteur que tu es le plus heureux...

— Je n'ai pas l'habitude du bonheur. Je n'ai pas d'aptitude au bonheur. La félicité, je ne sais pas ce que c'est. Ça fait vingt-huit ans que j'essaie de m'en expliquer avec mes psys. La seule chose que je sais, c'est que je suis excessif en toutes choses. Je suis une sorte de boulimique de la vie.

— Quand tu manges, c'est à la louche ; quand tu bois, c'est au tonneau ; quand tu fumes, c'est comme un pompier ; quand tu fais du cinéma, c'est cinq ou six films par an. Ce n'est plus de la boulimie, c'est l'excès permanent...

— L'abondance, oui. L'excès en toute chose. Un appétit forcené de vivre. La vie est belle, j'en profite. J'ai une santé de fer et, en plus, je cicatrise vite. Au propre comme au figuré. Si les gens avalaient la moitié de ce que j'ingurgite, ils seraient malades à crever ! En vieillissant, ce mode de vie peut être lourd de conséquences, je le sais. Mais je ne sais rien faire avec modération. Quand je décide de perdre du poids, je suis capable de ne plus m'alimenter du tout pendant dix jours ! Quand je décide de me mettre au sport, je suis capable de m'entraîner plusieurs heures par jour... Je peux te dire que c'est très chiant pour les autres ! Personne n'est capable de me suivre et, d'ailleurs, il vaut mieux pas. (*Rires.*) Mais le plaisir de l'abondance n'exclut pas la contemplation, le simple plaisir de vivre, de rencontrer des gens. Avec Jeannot (*Jean Carmet*), on passait nos nuits à parler avec des gens hallucinants, juste pour le plaisir. Moi, je suis bien quand je traverse des villages quasi bibliques en Afrique, en Inde, au Vietnam, en Chine, au Cambodge, où les gens sont démunis, où il n'y a rien, où personne ne va jamais. Des endroits improbables où, même si tu ne parles pas la langue, d'un seul regard, les gens percent ton âme. Exactement comme lorsque Christophe Colomb rencontre les Indiens pour la première fois. Quand j'ai joué cette scène, dans *1492* de Ridley Scott, instinctivement, je suis parti dans un immense fou rire. Ce n'était pas prévu au scénario, mais Ridley a décidé de garder la prise. C'était beau. Beau comme la Renaissance, ce moment où les hommes, après avoir longtemps vécu courbés, couchés, se sont enfin levés. Oui, la Terre était ronde. Non, de l'autre côté de la Terre, au-delà des mers, il n'y avait pas, comme le prétendait l'Eglise, l'enfer et les abysses.

— Cette vie d'excès ne date pas d'hier...

— Depuis tout petit, je suis comme ça. Je n'ai pas changé. J'ai vieilli, mais je n'ai pas changé. J'ai les mêmes excès, les mêmes révoltes, les mêmes désirs, les mêmes envies...

— Il y a dix ans, tu réfutais catégoriquement ce mot : « boulimique »...

— Oui, parce que les gens disaient : « Vous travaillez trop, vous êtes boulimique. » Mais non ! Je ne travaille pas. Si je travaillais, je n'aurais jamais fait autant de choses. J'ai travaillé quand j'étais imprimeur, quand j'étais apprenti, quand j'étais plagiste... Mais au cinéma ou au théâtre, je ne travaille pas : je vis ! Même aux cours de théâtre chez Jean-Laurent Cochet, au tout début, je ne pensais pas au travail. Si j'avais pensé un seul instant au travail, j'aurais tout arrêté. Je suis vivant. Voilà le mot juste : VIVANT ! Je ne suis pas boulimique, je ne fuis rien du tout. Je suis vivant, amoureux de la vie... Jusqu'à en crever. Regarde : j'ai plein de problèmes dans ma vie privée, mais je n'ai jamais le moindre problème dans ma vie professionnelle.

— Vivant, d'accord, mais parfois jusqu'à l'outrance. Un peu comme chez les personnages des grands auteurs russes, Tolstoï, Dostoïevski... Un journaliste a écrit :

« Depardieu, c'est Shakespeare pour la démesure et la violence des passions ; Balzac pour le secret, l'argent, les affaires, la province, les réseaux d'amitié ; et Henry Miller pour son côté gargantuesque et épicurien, pour les femmes, l'alcool, les voyages et les aventures. » Ce portrait te convient-il ?

— Il est flatteur mais assez juste. Il manque peut-être le côté mystique de Dostoïevski. Dans *Les Frères Kara- mazov*, il y a Aliocha, Ivan et Dimitri. Moi, je suis un peu les trois à la fois. J'aime beaucoup le comportement russe, la démesure dans les sentiments, la violence dans les émotions. Oui, tu as raison, je me reconnais dans l'outrance de certains personnages de Tolstoï... Dans *Les gens déraisonnables sont en voie de disparition*, la pièce de Peter Handke, l'un des personnages prouve qu'il est capable de trahir par amour. J'en suis capable aussi. C'est peut-être pour cela que je n'ai pas fait l'armée : les militaires ont diagnostiqué chez moi une hyperémotivité pathologique. Même en cas de guerre atomique, je ne suis pas mobilisable !

— De quoi as-tu envie aujourd'hui ?

— J'ai envie de continuer. Je dis souvent que je ne peux pas mourir avant d'avoir terminé un film. Je ne peux pas mourir non plus parce que j'ai Roxane, Julie, Guillaume, leur mère Elisabeth, j'ai Carole avec ses enfants, j'ai Karine... C'est pour toutes ces raisons, au fond, que les pontages sont passés comme une lettre à la poste. Picasso aussi travaillait tout le temps (*il montre sur le mur, au-dessus de son bureau, des photos noir et blanc de Giacometti en plein travail de création*), Giacometti travaillait tout le temps, Braque travaillait tout le temps... Personne ne leur en fai- sait reproche. Personne ne les traitait de boulimiques ! Eh bien, voilà : moi aussi, je travaille tout le temps, c'est comme ça ! Et puis, tu sais, mes parents sont morts très jeunes. Ils sont morts sans se comprendre, et moi, je ne veux pas mourir sans qu'on me comprenne. De ce point de vue-là, je suis dans le droit chemin. J'avance... Il n'y a rien de tragique à dire cela. La seule tragédie, c'est ce qu'on ne parvient pas à se dire au quotidien. Moi, je suis un buvard : j'absorbe tout et je restitue tout, à ma manière. Je ne me réveille jamais le matin en me disant : « Tiens, j'ai ça à faire. » Je fais les choses, un point c'est tout !

— Ton « chez toi », où est-ce au juste ? Ici, dans cet hôtel particulier du 16e arrondissement de Paris ? A La Fontaine Gaillon, le restaurant que tu as ouvert l'année dernière ? Chez Carole Bouquet ? Dans tes vignes en Anjou ?

— Mon vrai « chez moi », comme tu dis, c'est sur ma moto (*une Yamaha 1 300 cm³*). C'est là que je me sens vraiment bien, libre. A l'air libre. Il m'arrive de dormir chez Carole ou à l'hôtel, mais c'est ici que je dors la plupart du temps. Dans ce bureau, au milieu des objets et des livres qui me sont chers.

— Je croyais que tu détestais les chambres d'hôtel, au point même de ne pas ouvrir tes bagages ?

— C'est toujours le cas. A ceci près que je n'ai plus de bagages. Désormais, je voyage toujours les mains dans les poches. J'achète tout sur place. Mais c'est vrai que je déteste les chambres d'hôtel. La plupart du temps, l'hôtel correspond à la fin d'une journée de tournage. Tu es tout seul, presque orphelin. Je ne supporte pas cet état. Et puis, dans une chambre d'hôtel, j'ai peur de moi-même. Je ne suis pas en paix avec mon corps, je déteste entendre ma respiration, mes propres bruits...

— Pardon de te poser cette question personnelle, mais j'entends du bruit dans la maison. Il y a d'autres gens qui vivent ici ?

— Oui, oui. (*Rires.*) Je loge des gens, gratuitement. Ça t'étonne ?

— Non, mais tu loges qui, si ce n'est pas indiscret ?

— En ce moment, il y a Vanessa, une jeune étudiante, et Laurent, un ami d'origine sénégalaise... Mais ça change. Ici c'est l'auberge du bonheur, ça va, ça vient ! (*Rires.*)

— Par simple altruisme ou par peur de vivre seul ?

— J'aime être seul, mais j'aime bien aussi entendre du bruit dans la maison, le bruit de la vie. La solitude ne m'a jamais fait peur. Les moments que j'ai vécus dans le désert de Mauritanie, sur le tournage de *Fort Saganne*, sont parmi les plus beaux de ma vie. C'est là que j'ai commencé à comprendre, à apprivoiser cette boulimie dont on parlait tout à l'heure. C'était presque mystique. Pas au sens religieux du terme. Simplement l'écoute des autres. Sans penser au mal. Les choses simples de la vie. Une paix intérieure, sublime...

— Le calme, la paix intérieure... Cela ne te ressemble guère. Tu as dit un jour : « Parfois, je fais des scandales, des folies, des caprices de star, pas pour obtenir davantage, plutôt pour semer le désordre, la perturbation, un acteur qui s'embourgeoise est un acteur qui se ternit. » Est-ce toujours vrai ?

— Oui, oui ! Même à cinquante piges passées, c'est toujours vrai. J'aime bien semer le désordre pour aller chercher ce qu'il y a de meilleur chez les autres. Pour les faire réagir. Surtout chez les jeunes acteurs, les jeunes auteurs, les jeunes metteurs en scène. En vérité, quand j'étais jeune, je faisais déjà ça avec les vieux ! Ce n'est pas de la provocation, c'est de l'amour, une forme de communication... Moi, je suis un hyperémotif, au sens psychanalytique du terme. J'ai besoin d'être à fleur de peau. La psychanalyse m'a aidé à mieux communiquer avec les autres, à verbaliser mes sentiments, mes sensations. A m'apaiser aussi. L'incommunicabilité me terrifie, l'ignorance me fait peur...

— Au risque, parfois, de déplaire souverainement à ceux qui croisent ta route ?

— J'ai été élevé avec la peur de déplaire. Pour survivre et échapper à l'ignorance et à la connerie, j'ai appris très jeune à être un caméléon. Gamin déjà, je disais toujours ce qu'on attendait de moi. D'instinct, je savais ce que les autres voulaient entendre. Ce qu'ils avaient envie de voir. J'avais un vrai talent pour ça. Je crois même que c'est ce qui m'a motivé pour faire du cinéma... A partir du moment où l'on s'expose, on a forcément envie de plaire. Moi, j'avais surtout envie de faire rire et de faire pleurer. Faire en sorte que les gens oublient leur misère quotidienne. Cela dit, je me souviens qu'au début de ma carrière j'ai énormément déplu. Trente-cinq ans après, je me rappelle encore le nom des critiques qui m'ont assassiné. Tiens, Jean-Jacques Gautier par exemple. Je jouais *Saved*, une pièce d'Edward Bond. Dans son article, il expliquait, *grosso modo*, que j'aurais mieux fait de ne pas naître ! En fait, il faisait l'amalgame entre l'acteur et le personnage que j'interprétais, un tueur d'enfant en l'occurrence. La même année, je jouais *Galapagos* de Jean Chatenet : le même Gautier écrivait qu'un acteur venait de naître sous ses yeux.

— Tiens-tu encore compte des critiques aujourd'hui ?

— Non. Mais je crois que je ne les intéresse plus. Peut-être parce que je fais trop de choses. En fait, et ils ont raison, ils préfèrent s'intéresser à Julie ou à Guillaume, à la jeune génération, à la relève. Honnêtement, les critiques ne sont pas mon souci principal.

— Tous les artistes ont besoin que l'on parle d'eux et, si possible, en termes élogieux...

— Non. Moi, je fais ce métier pour m'exprimer, pas pour être couvert d'éloges. Il fut un temps où j'angoissais à l'idée de lire les critiques. Ce temps-là est révolu depuis longtemps. Et puis, je vais te dire, les journalistes ne se trompent pas sur mon compte. Je suis exactement comme ils disent. J'ai toutes les qualités et les défauts qu'ils me prêtent. Et comme il y a plus de défauts que de qualités, le portrait est rarement flatteur. (*Rires.*) D'ailleurs, je crois être plus apprécié et renommé à l'étranger qu'en France.

— Bertrand Blier dit de toi : « Gérard, il se fout d'être Depardieu... »
— Il me connaît bien. Je me fous effectivement d'être un acteur, une vedette, une célébrité. Ce qui me plaît, ce n'est pas d'être Gérard Depardieu, c'est d'être vivant. Bon vivant. J'aime trop la vie, j'aime trop les autres pour m'attarder sur moi-même...

1

UNE HISTOIRE D'EN FRANCE

> « Ciel, que vais-je lui dire, et par où
> commencer ? »
>
> RACINE, *Phèdre* (acte I, scène III).

*Paris, le 22 avril 2004, au domicile de Gérard Depardieu,
rue Leconte-de-Lisle.*

Laurent NEUMANN — Voici un peu plus de dix ans, tu
avais prêté ton concours à une biographie que souhaitait
entreprendre le journaliste américain Paul Chutkow
(*Depardieu*, Livre de Poche). Quarante-quatre ans, ce
n'était pas un peu jeune pour avoir déjà droit à une
biographie ?

Gérard DEPARDIEU — C'est vrai, j'avais déjà l'âge
d'avoir des souvenirs, peut-être pas encore celui de méri-
ter une biographie. Mais Paul était à peu près aussi obs-
tiné que toi. Il voulait à tout prix écrire ce livre. A
l'époque, la presse américaine avait ressorti une vieille
interview dans laquelle j'avais commis l'erreur d'évoquer
un viol. Un viol auquel j'aurais assisté à l'âge de neuf
ans. Paul voulait absolument démontrer que cette campagne de presse dégueulasse visait uniquement à me dis-

créditer pour m'empêcher d'obtenir l'oscar du meilleur acteur pour *Cyrano de Bergerac*. Il était très persuasif, j'ai fini par céder et par collaborer avec lui... Il faut dire que les Américains sont très doués pour les biographies. Il a enquêté, remué ciel et terre, interrogé les journalistes, les rédacteurs en chef à l'origine de ce lynchage, et il a fini par prouver l'évidence : tout cela n'était qu'un grossier montage destiné à me nuire. D'ailleurs, je peux te le dire calmement aujourd'hui : si je croise le journaliste du *Time Magazine* qui est à l'origine de ce déversement de haine, je lui arrache ses poils de barbe un par un ! Je l'ai aperçu, il n'y a pas si longtemps, dans un festival de cinéma. A un moment, je vois un type qui prend ses jambes à son cou. Clint Eastwood, hilare, me tape alors sur l'épaule : « Regarde, c'est Richard Corliss de *Time Magazine. — That's why he runs* » (« Voilà pourquoi il court »), lui ai-je répondu.

— Quelle est la vérité sur cette histoire de viol ?
— Une conjonction de choses, un concours de circonstances, si tu préfères, et une vraie volonté de nuire. D'abord, une erreur de traduction sur une interview que j'avais accordée, au moment des *Valseuses*, dans les années 70. Ensuite, une maladresse de ma part : je ne me suis absolument pas rendu compte de ce que pouvaient provoquer mes propos. Dans cette interview, j'évoquais ces viols qui existaient quand j'étais môme — et qui doivent sans doute exister encore — dans les fêtes foraines, les bals de village, quand les mecs sont en bande avec des filles plus ou moins consentantes. Ça n'a rien à voir avec un viol dans un train de banlieue ou avec ces pauvres filles, victimes de tournantes dans les caves des cités. Non, c'étaient des nanas qui faisaient partie de la bande. Et puis, un soir, tout ce petit monde boit un coup de trop, ça s'échauffe et voilà... Ça n'excuse rien, ça ne justifie rien, mais oui, ce genre d'histoires existait à Châteauroux et sans doute ail-

leurs. On a voulu me faire dire que je trouvais ça normal. Mais je n'ai jamais dit une chose pareille : j'ai juste dit que c'était fréquent, et c'était, hélas, la vérité.

— As-tu participé ou même seulement assisté à ce genre de choses quand tu étais jeune ?

— Bien sûr que non ! Comment veux-tu ? J'avais neuf ans ! Je savais que ça existait, ça oui. Mais moi, ça ne m'a jamais passionné ce genre de virée. Ce n'était pas mon truc. Même adolescent, j'étais plutôt un contemplatif avec les filles. En revanche, je sais que ce genre de saloperies faisait marrer un certain nombre de types. Pour eux, les choses étaient extrêmement simples : la fille fait partie de la bande. Elle veut, elle ne veut pas ? Peu importe ! Elle passe à la casserole parce qu'elle fait partie de la bande, c'est tout. Je crois qu'ils ne se rendaient même pas compte de l'ignominie qu'ils commettaient. D'autant que les filles qui avaient dû subir ce genre d'outrages restaient la plupart du temps dans la bande.

— Pourquoi, selon toi, la presse américaine a-t-elle ressorti cette interview et monté cette histoire en épingle ?

— Tout a commencé le 4 février 1991, quelques mois avant l'attribution des oscars. J'étais en course pour mon rôle dans *Cyrano de Bergerac* de Jean-Paul Rappeneau. Je venais juste de décrocher le Golden Globe du meilleur acteur. L'oscar se jouait entre Jeremy Irons (*Le Mystère von Bülow*), Kevin Costner (*Danse avec les loups*), Robert de Niro (*Les Affranchis*), Richard Harris (*The Field*) et moi. Ce jour-là, Richard Corliss, le critique cinématographique de *Time Magazine*, me consacre un long portrait où il fait référence à cette interview de 1978 et à cette histoire de viol. Aussitôt, le *New York Post* s'est emparé de l'histoire, les mouvements féministes américains – et notamment la National Organization for Women – s'en sont mêlés. Le *Daily Mail* de Londres a envoyé deux journalistes à Châteauroux pour enquêter sur ma jeunesse. Ils en sont revenus avec un article intitulé : « Depardieu : est-ce le violeur le plus célèbre de France ? » La campagne de presse a duré plusieurs semaines. Le résultat des courses, c'est que je n'ai pas eu l'oscar...

— Certains ont évoqué un complot médiatique monté de toutes pièces par le groupe Time-Warner, propriétaire de *Time Magazine* et producteur du film *Le Mystère von Bülow*...

— C'était l'intuition de Paul Chutkow à l'issue de son enquête. Ce que je sais, c'est que je me suis excusé, j'ai demandé pardon, mais rien n'y a fait. J'ai été traîné dans la boue et je n'ai pas eu l'oscar. J'ai rencontré Steven Spielberg, il y a quelques jours. Je lui ai dit le fond de ma pensée : « Je vous aime beaucoup, je veux bien travailler avec vous, mais je ne veux plus venir dans votre pays. Ce que m'ont fait subir les Américains avec leur saloperie de puritanisme à la con est dégueulasse »...

— Pourquoi rencontrais-tu Steven Spielberg ?

— On a déjeuné ensemble à Paris avec Daniel Auteuil. Il voulait avoir notre avis sur Tintin. Je lui ai dit que je n'aimais pas beaucoup Tintin, qu'avec Tintin, on n'était pas très loin du fascisme et du colonialisme. Il a hurlé de rire ! Un gamin de dix-sept ans qui se prend pour un flic ou un journaliste redresseur de torts, ce n'est pas mon truc. A la limite, je préfère le capitaine Haddock, le professeur Tournesol ou même la Castafiore. Et puis, il m'a dit : « Alors, toujours en colère contre l'Amérique ? » Je lui ai répondu : « Non, je ne suis pas en colère contre l'Amérique, mais contre les méthodes de Hollywood qui me font chier ! »

— D'une certaine manière, Hollywood t'a fait subir le même sort que Jean Seberg, boycottée parce qu'on la soupçonnait d'avoir couché avec un membre des Black Panthers, ou qu'Ingrid Bergman, rejetée à cause de sa relation avec Roberto Rossellini...

— Il y a de ça. A leurs yeux, Bergman et Rossellini vivaient dans le péché. Pour les conservateurs de Hollywood, cette idée était insupportable. Quarante plus tard, le puritanisme des Américains n'a pas varié d'un iota. Ça me terrifie ! A la seule évocation du mot « viol », les médias américains me sont tombés dessus comme la vérole sur le bas clergé. Sans chercher à savoir, sans chercher à comprendre. Avec ce genre de campagnes haineuses, ils sont capables d'anéantir n'importe qui, même un président des Etats-Unis. Regarde ce qui est arrivé à Bill Clinton ! Pour une simple gâterie dans le Bureau Ovale, on a convoqué un Grand Jury, il a dû faire son acte de contrition à la télévision devant des millions d'Américains. Et, pendant ce temps-là, George Bush invente des armes de destruction massive, fabrique de fausses preuves, déclenche une guerre au mépris du droit international sans que les grands médias américains s'en émeuvent. C'est inouï, non ? Et tu vas voir ce que les sbires de Bush vont faire subir à John Kerry, le candidat démocrate à l'élection présidentielle : je suis sûr que, d'ici novembre prochain, ils vont sortir des ragots immondes sur sa vie privée. Quelque chose me dit que ceux qui forment l'entourage de Bush sont absolument capables de tout...

— Mais ta cote de popularité reste intacte aux Etats-Unis...

— Ça, c'est ma revanche. Les chaînes de télévision américaines ont acheté *Monte-Cristo, Les Misérables* et *Napoléon* à tour de bras. J'ai près d'une centaine de films qui passent en boucle sur leurs réseaux câblés. Le

Sunday Times vient même de consacrer sept pages à mon restaurant. Viens déjeuner à La Fontaine Gaillon, tu vas voir : c'est rempli d'Américains ! Juste après le festival de Cannes, dans une quinzaine de jours, Quentin Tarantino, Francis Ford Coppola et sa fille Sofia ont réservé une table. C'est un signe, non ? C'est vrai, je n'aime pas Hollywood et son puritanisme puant. Mais j'aime l'Amérique, ou plutôt une certaine Amérique.

— En lisant la biographie de Paul Chutkow et notamment les longs développements qu'il consacre à ton enfance à Châteauroux, je me dis que la presse a peut-être un peu forcé le trait en te faisant passer pour le voyou du cinéma français, le sale gosse, voleur, braqueur, familier des juges et des flics. Je me suis même demandé si tu n'en rajoutais pas un peu dans les interviews...

— Mais non, pas du tout. J'ai été élevé dans un milieu pauvre, mais par des parents qui m'ont donné l'essentiel : la liberté. Je n'avais aucun interdit. Mon père ne savait ni lire ni écrire. Il s'exprimait le plus souvent par onomatopées. Toute sa vie, il a signé « D.D. ». Il était incapable de m'aider à faire mes devoirs. En revanche, il était très doué pour le travail manuel. La Lilette, elle, était trop occupée par sa maison et ses six enfants pour veiller sur nous à chaque instant. Moi, j'étais un peu l'enfant terrible du quartier. Je n'étais pas mal élevé, je n'étais pas élevé du tout. Une fois – une fois seulement – j'ai été premier de la classe. Je voulais démontrer au maître d'école que celui qui était habituellement le premier était plus con que moi. Mais très vite, je me suis rendu compte que ça m'emmerdait d'être au premier rang. Je préférais être au fond et regarder les autres.

— Il n'empêche que, très tôt, en fait dès la sortie du film de Bertrand Blier, *Les Valseuses,* en 1974, la presse t'a catalogué comme le mauvais garçon du cinéma français, celui qui avait fait les quatre cents coups, braqué, volé...

— Je crois que cette image de mauvais garçon remonte à mes cours de théâtre avec Jean-Laurent Cochet. Il a vu arriver un paysan mal dégrossi, dix-sept ans à peine, un taiseux, capable de soutenir son regard, avec une vraie violence dans les yeux, des tatouages sur les bras, des cheveux filasse... En plus, j'avais quasiment perdu l'usage de la parole. C'est un peu comme si j'avais baissé le rideau, depuis des années. Mais Cochet, lui, me comprenait. J'étais le seul, par exemple, qu'il autorisait à sortir en pleine répétition pour aller fumer une cigarette. Il sentait que j'avais besoin d'espace, de liberté. C'est lui qui m'a désinhibé, c'est lui qui m'a redonné l'usage de la parole...

— Mais toi, de ton côté, est-ce que tu n'as pas joué au rebelle aux cheveux longs pour perpétuer la légende du délinquant juvénile sauvé par le métier d'acteur ?

— C'est plus compliqué que ça. Les journalistes me posaient des questions, mais ils avaient déjà leurs propres réponses. Ils m'avaient déjà collé une étiquette, enfermé dans une case. D'instinct, je savais ce qu'ils attendaient de moi. Du coup, je leur donnais ce qu'ils voulaient. Ils voulaient un ancien voyou de Châteauroux ? Je leur donnais du voyou !

— Au risque, parfois, de te contredire ! En 1977 par exemple, à quelques jours d'intervalle, tu accordes deux interviews à deux journaux différents. Dans *France-Soir*, tu dis : « Mon passé ne me scie pas l'épaule. » Dans *Marie Claire*, tu assures au contraire : « Mon enfance bagarreuse ne me quitte pas. C'est un souffle d'air dans un milieu du spectacle qui tourne en rond et qui ne cherche que le succès et la consécration de l'argent. » Où est la vérité ?

— La vérité, c'est évidemment que mon passé dit qui je suis, mais que ce passé ne m'empêche pas de poursuivre ma route. Il est là, présent, il m'aide à avancer. Parfois, il est même d'un précieux secours pour aborder certains rôles... J'ai cinquante-cinq piges, bientôt cinquante-six et je peux te dire qu'il m'en est arrivé des choses. Quand je faisais la route par exemple, à seize ou dix-sept ans, j'en ai croisé des fêlés, des VRP barjots comme dans *Nathalie Granger*, le film de Duras, des mecs totalement allumés avec des tronches à la Lino Ventura, qui voulaient que je leur fasse des trucs de pervers. C'était effrayant, mais ça ne m'a jamais traumatisé. C'était moins traumatisant que les questions que me posaient les journalistes au début de ma carrière. Rien de ce que j'ai vécu ne m'a bloqué ou choqué. Au contraire. C'était la vie. C'était ma vie ! Aujourd'hui, les jeunes acteurs débarquent dans ce métier sans avoir rien vécu. Deux ou trois lignes de coke, un peu d'ecstasy, quelques partouzes, et ils croient que ça suffit pour connaître la vie. Mais la plupart ne savent rien de l'existence ! Il y a des exceptions, bien sûr, comme Guillaume ou comme Jean-Paul Rouve des Robins des Bois, un type généreux qui vient du Nord de la France. Regarde Alain Delon : avant d'embrasser la carrière qu'on lui connaît, il avait fait l'Indochine. Ça forge un homme ! Gabin, Raimu, Ventura... Voilà des types qui avaient bourlingué avant de faire du cinéma ! Aujourd'hui, on ne jure plus que par la Star Academy. On met des gamins de vingt ans pendant trois mois devant des caméras de télévision et on leur fait croire qu'ils sont déjà devenus des artistes. C'est affligeant ! Souviens-toi de cette scène dans *Tenue de soirée* de Blier où je dis : « Je vais t'enculer, tu jouiras, ton fion n'en pourra plus d'extase, et ce ne sera pas la peine d'appeler au secours [...].

T'es tout seul, tout seul avec ta honte, et moi ta honte j'la transforme en bonheur, j'en fais un bouquet de fleurs... » Il faut avoir un peu vécu pour dire des choses pareilles. L'ennui, c'est que très vite, on m'a identifié aux personnages que j'interprétais. Longtemps après *Les Valseuses*, les gens m'ont assimilé à Jean-Claude. Dans l'esprit du grand public, après *Sept morts sur ordonnance*, j'étais le docteur Berg. Après *Tenue de soirée*, tout le monde croyait que j'étais pédé !

— Il est vrai qu'au début de ta carrière le public était décontenancé par la violence que tu dégageais. Certains journalistes parlaient même de « sauvagerie », de « bestialité »...

— Mais je suis comme ça : si un mec m'emmerde, je lui rentre dedans (*il serre les poings et les dents*), même si je dois finir sur le carreau. Ce qui m'intéresse, ce n'est pas de sortir vainqueur de la confrontation, c'est la confrontation elle-même. Echanger des coups, c'est déjà une manière de communiquer...

— Ça y est, ça recommence, tu forces le trait...

— C'est peut-être moins vrai maintenant, mais je t'assure que j'étais comme ça. N'oublie pas que j'avais quasiment perdu l'usage de la parole. Aujourd'hui encore, il ne faut pas trop me chercher !

— Aujourd'hui, on te traite comme un monument national, on dit que tu fais partie du patrimoine culturel français, que tu es un petit morceau du drapeau bleu blanc rouge. J'imagine que ce n'est pas simple de ressembler à tout prix à l'image que les autres projettent sur toi...

— Là, tu as mille fois raison. A une certaine époque, ce fut même très difficile. Mais c'est fini tout ça. Je me suis calmé. Guillaume, lui, en prend encore plein la gueule. Combien de fois, je lui ai dit : « Guillaume, il faut avoir de la distance avec tout ça. Rien n'est vrai dans tout ça. Tu n'es pas ce que les journaux disent de toi. Tu es d'abord toi-même. » Un être unique, en l'occurrence. Moi, à douze ans, en prison, j'ai rencontré un psychologue qui, d'une certaine manière, sans le savoir, m'a peut-être sauvé la vie. Il m'a dit : « Tu as des mains de sculpteur. » Et moi, d'un seul coup, je me suis pris pour un sculpteur. Je lui ai dit : « Je ne sais même pas dessiner ! — Aucune importance, m'a-t-il répondu : tu n'as pas besoin de dessiner. Tu sais pétrir, modeler... » J'ai retrouvé cette sensation en jouant Rodin dans *Camille Claudel* avec Isabelle Adjani ou bien en regardant *Les Femmes de Venise* de Giacometti, cette longue chose filiforme, sublime. C'est en ajoutant de la terre et encore de la terre et en la pétrissant de ses doigts que Giacometti parvient à donner la vie à ses sculptures. Rodin aussi était novateur dans son art ; il avait construit des échafaudages pour pouvoir regarder ses sculptures sous tous les angles. Y compris d'en haut. Ce que les ordinateurs parviennent à faire aujourd'hui avec l'imagerie en 3D, lui l'avait inventé dès le XIXe siècle. Bref, ce psychologue m'a fait comprendre l'essentiel : « Deviens ce que tu es. » Je crois qu'à sa manière il m'a ouvert des horizons.

— Je reviens à ton enfance. On dit qu'un homme est d'abord l'enfant qu'il a été. Est-ce que cette formule te convient ?

— Elle me va comme un gant. Au fond de moi, depuis Châteauroux, je n'ai pas changé, je suis toujours le même. Je crois qu'on ne quitte jamais son enfance. Et quand c'est elle qui vous quitte, c'est d'une tristesse insupportable. Bizarrement, la seule chose qui puisse nous faire quitter l'enfance, c'est l'école, l'éducation. Si, dans une éducation, on ne retrouve pas sa part d'enfance, alors elle est ratée. Un enfant n'est jamais rigide, il n'est jamais triste. Il est triste s'il voit autour de lui des modèles qui sont tristes. Jusqu'à l'âge de quatre-cinq ans, il est dans son génie. Ma chance à moi, ce qui me donne cette force, c'est de ne jamais avoir quitté l'enfance.

— Tu as souvent dit : « J'ai eu la chance de naître dans une famille pauvre, illettrée et presque moyenâgeuse ». En quoi était-ce une chance ?

— C'était la liberté, le rêve permanent. Quand mon père avait un coup dans le nez et qu'il se mettait à parler gitan ou espagnol, pour un gosse de mon âge, c'était le dépaysement total, l'onirisme absolu. J'avais beau n'être qu'un gosse, je pouvais faire ce que je voulais, quand je voulais. Sortir jusqu'à pas d'heure, fréquenter qui je voulais, faire mon propre apprentissage de la vie... La liberté totale. Ce fut ma chance, ma vraie richesse.

— Reprenons depuis le début. Tu es né le 27 décembre 1948, à Châteauroux, une petite ville du Berry, dans une région agricole déchirée par la guerre et l'occupation allemande (*c'est là qu'arrivaient les trains de réfugiés de toute l'Europe occupée*). Tu as grandi dans une famille pauvre, minée par l'alcool et par toutes sortes de traumatismes affectifs...

— Je n'ai pas aimé cette France de mon enfance. Une France de castes. Les pauvres d'un côté, les bourgeois de l'autre. Moi, je suis né du côté des pauvres, c'est certain. Mais nous n'avons jamais manqué de rien. Même à la fin du mois, quand mes parents n'avaient plus un sou, les commerçants nous faisaient crédit. Ma mère m'envoyait à la boucherie chevaline avec son cabas. Je m'en souviens comme si c'était hier : le boucher ressemblait à Noël Roquevert – il s'appelait Chaval. Je faisais la queue en regardant mes chaussures et, tout à coup, le boucher me lançait devant tout le monde : « Tu diras à ton père qu'il vienne me payer ! — Oui, oui, Monsieur Chaval, je lui dirai. » Je ne te raconte pas la honte, l'humiliation, les clients se retournaient vers moi. (*Rires.*) Mais moi, je n'en avais rien à foutre. Et puis, dès que mon tour arrivait, je demandais à voix basse, un peu gêné : « 350 grammes de viande hachée. — Combien ? », il faisait, bien fort pour que tout le monde entende distinctement. « 350 grammes de viande hachée ! » Au début du mois, quand le Dédé touchait sa paie, je passais lui régler la note...

— Parle-moi un peu de tes parents, le Dédé et la Lilette...

— Des gens extraordinaires. Mon père était un artisan, tôlier formeur de son état. Il était né en 1923 à Montchevrier, un petit hameau berrichon. Il était beau. Guillaume lui ressemble beaucoup d'ailleurs. Il était plus grand que moi, fin comme Guillaume, les yeux bleus comme Guillaume, blond comme lui... Il avait très peu connu son propre père, Marcel Depardieu. Je crois que mon grand-père paternel avait attrapé une maladie dans les tranchées de 14 ; il en est mort en 1931. J'ai vu une photo de lui : il avait une drôle de tête... Au moment de la Débâcle, en 1940, mon père s'est enfui en Suisse. Il y a passé une partie de la guerre dans un camp de réfugiés. La Lilette, elle, était originaire du Jura. Elle s'appelait Alice Marillier, elle était née en 1923, comme mon père, et elle avait grandi à Saint-Claude. Son grand-père possédait une petite usine de pipes, et ses parents, Suzanne et Xavier Marillier, lui avaient offert une enfance plutôt stable. Son père, un pilote de l'armée, a été transféré au début des années 40 sur une base aérienne près de Châteauroux. Alice, sa mère, et Colette, sa sœur, l'ont bientôt rejoint. Le Dédé, lui, est revenu à Châteauroux en pleine occupation allemande. C'est là qu'il a rencontré ma mère, la Lilette. Ils se sont aimés, follement, et se sont mariés, le 19 février 1944. Ils avaient vingt ans... Je me souviens aussi de ma grand-mère paternelle, une très belle femme au regard clair. Elle était dame pipi à Orly. Je passais parfois mes vacances avec elle à l'aéroport. D'où, sans doute, ma passion pour les avions. J'entendais des voix venues d'ailleurs qui disaient : « *Départ à destination de Bangkok.* » Bangkok ! Je ne savais même pas où c'était, moi, Bangkok ! Parfois, j'allais chez une tante éloignée du Dédé, dans une ferme où je gardais les vaches, avec des gens de la DDASS. Voilà quelque chose qui n'a jamais changé chez moi : quel que soit l'endroit où j'allais, je trouvais de la joie. Aujourd'hui encore, que je sois dans un voyage officiel avec Chirac, dans mes vignes en Anjou ou au café avec des potes, je me sens bien partout. Et ça, je crois que les gens le sentent.

— Question d'éducation ?

— Non, question de liberté ! Je n'ai aucun a priori sur personne. Sauf sur les salauds et les fachos. Un jour, Le Pen m'a envoyé un livre, avec une dédicace qui commençait par « Mon cher ami »... Comme si on avait gardé les cochons ensemble ! Je l'ai tout de suite jeté à la poubelle. J'ai croisé trop de gens, dans ma vie, qui lui ressemblent, des flics, des contremaîtres, des types qui se comportaient comme des kapos. Je me souviens notamment d'un type, quand j'étais plagiste à La Garoupe sur la Côte d'Azur. Il m'avait parlé comme à un chien. J'ai saisi une grande pelle aux bords tranchants, je l'ai brandi au-dessus de ma tête et je lui ai dit : « Maintenant, tu bouges une oreille, tu dis un mot, je te tranche la tête. » Il ne m'a plus jamais rien dit. Et tu sais pourquoi ? Parce qu'il savait que je l'aurais fait !

— La Lilette, quel genre de femme était-ce ?

— Une petite femme magnifique. Sa mère était une grande guérisseuse. Ça créait d'ailleurs des conflits violents à la maison parce que la mère de mon père était une sorcière, une jeteuse de sorts. Elles se haïssaient toutes les deux. Ma grand-mère maternelle avait un ulcère qui ne guérissait jamais et elle était persuadée que c'était l'autre sorcière qui piquait des statuettes pour lui envoyer le mauvais sort. Tu imagines l'ambiance... Ma grand-mère prédisait l'avenir, elle aussi. Un jour, je devais avoir onze ans, elle m'a dit : « Tu vas devenir célèbre. Le monde entier connaîtra ton nom et ça ne s'arrêtera jamais. » Et je peux te dire qu'à Châteauroux, en 1959, il fallait être fortiche pour deviner ça !

— Comment viviez-vous à cette époque ?
— On a d'abord habité au 39 de la rue du Maréchal-Joffre, dans le quartier de L'Omelon à Châteauroux. On louait le premier étage et on vivait un peu en communauté avec les propriétaires, Gaston et Mémette Gauriat. Chacun chez soi bien sûr, mais en bonne intelligence. Jamais de coups tordus, de médisance. Nous n'étions pas du même milieu social, mais tout le monde se serrait les coudes. Ma mère était toujours enceinte, six enfants tout de même. Sept en réalité, parce qu'elle en a perdu un à la naissance ! Mon père, lui, bossait tous les jours, même le dimanche. Il ne savait pas dire « non ». Je sais de qui tenir : longtemps, je n'ai pas su dire « non ». Même maintenant, j'ai encore du mal... Je crois que mes parents s'aimaient profondément, mais leur histoire d'amour avait quelque chose de tragique. Figure-toi que mon grand-père maternel baisait avec ma grand-mère paternelle, Emilienne Foulatier — que tout le monde appelait Denise...

— Le père de ta mère et la mère de ton père étaient amants ?
— Oui, je sais, ça paraît dingue, mais c'est la vérité. Je n'ai jamais osé parler de ça, sauf à mon psy. Un jour,

la Lilette s'en est rendu compte. Le Dédé, lui, n'en a jamais rien su. Je crois que ma mère n'a jamais pu lui avouer la vérité. Cette situation a créé une sorte de malaise entre eux. En fait, d'une certaine manière, ils se sont fait voler leur histoire d'amour par leurs propres parents. Si tu ajoutes les histoires de sorcellerie, les sorts que les femmes se jetaient entre elles, les rivalités familiales, leur histoire virait à la tragédie. Entre eux pourtant, c'était un amour unique. La Lilette n'a jamais autant aimé un homme et le Dédé adorait sa Lilette. Mais je ne suis pas sûr qu'ils parvenaient à se le dire. Ils n'avaient pas les mots. C'était une famille où l'on criait parfois, mais où l'on ne se parlait pas. Je me souviens des silences, pesants, interminables. Le silence du présent où l'on regarde la mouche voler autour de la lampe. Des soirées entières sans prononcer un mot, assis sur une chaise, sans bouger. Plus tard, au théâtre, je me suis servi de ces moments-là lorsque je travaillais avec Claude Régy sur le temps qui passe... Mes parents ne se faisaient pas la gueule. Au contraire. Mais leur manière à eux de se dire « je t'aime », c'était de faire des enfants ! Sept ! J'ai moi-même accouché ma mère quand elle attendait Catherine. J'avais sept ans et je jouais à la sage-femme. Ce jour-là, le Dédé était complètement bourré. C'est moi qui ai sorti Catherine du ventre de ma mère. L'année suivante, c'est encore moi qui ai donné naissance à mon frère Eric. Sept ans, j'avais sept ans, tu te rends compte ? Quand je te dis que je suis directement passé de l'enfance à l'âge adulte, tu me crois...

— Il y a eu Alain en septembre 1945, Hélène en septembre 1947. Tu es né en décembre 1948. Puis il y a eu Catherine en 1955 et, enfin, Eric et Franck. Que sont devenus tous tes frères et sœurs ?

— Franchement, je ne les vois quasiment jamais. Hélène vit à Bougival avec son mari, Patrick Bordier, à deux pas de la maison de famille où Elisabeth et moi avons élevé nos enfants, Julie et Guillaume. C'est moi qui ai présenté Patrick à Hélène. Patrick est un ami, nous avons beaucoup travaillé ensemble. Mais je les vois moins depuis que nous avons entamé notre procédure de divorce avec Elisabeth. Alain ? Je ne le vois plus, je ne sais même pas où il est. Catherine ? Je l'ai eue au téléphone, il y a peu. Elle pleurait à l'autre bout du fil parce qu'elle ne m'avait pas parlé depuis dix ans. « Ça me fait un drôle d'effet de t'entendre, qu'elle me disait avec des sanglots dans la voix. Je ne sais même plus si tu es mon frère ou si tu es une vedette... » Sa fille voulait ouvrir un bar, elle souhaitait avoir mon avis. Je lui ai dit de m'envoyer les papiers, j'étais même prêt à lui donner des sous, mais finalement elle a renoncé. Elle a eu peur. Alors bon, je n'ai pas insisté. En fait, je ne les connais pas, je ne les ai pas vus depuis si longtemps... Eric, lui, est marié avec une Nigérienne, il a deux enfants. Quand je tournais *Le Colonel Chabert*, je suis allé le voir. Je lui ai apporté un peu d'argent en liquide, comme ça, pour faire plaisir. J'ai pris mon neveu, David, avec moi sur le tournage, pendant quelques jours. Depuis, plus de nouvelles... Et puis, il y a Franck. Le plus poète de la fratrie. Il ne veut même pas dire son nom de famille, de peur qu'on lui demande s'il a un lien de parenté avec moi. Il préfère prendre le nom de sa femme. Il est peintre en bâtiment...

— Si je comprends bien, tu ne les vois pas pendant dix ou vingt ans, et un beau jour, tu débarques dans leur vie avec des cadeaux plein les bras, à la manière d'un oncle d'Amérique...

— Je suis un peu un extraterrestre pour eux. Je suis parti très tôt de chez moi. J'ai vécu ma vie, ils ont vécu la leur. Quand ils me voient à la télé ou au cinéma, ils doivent se dire : « Tiens, c'est Gérard. » Et, en même temps, à l'exception d'Hélène, je suis un étranger pour eux. On n'a plus grand-chose en commun, mais on est tout de même frères et sœurs, voilà ! Quand on se revoit, on n'a pas des tonnes de choses à se dire, mais c'est le même sang qui coule dans nos veines. Moi, je me sens un peu coupable. Je ne sais pas trop comment faire pour leur être agréable sans paraître maladroit. De temps en temps, je fais passer des cadeaux à Hélène pour mes neveux et pour mes nièces. C'est difficile, tu sais, de revenir trente ou quarante ans en arrière... Je me souviens de la tête du Dédé quand le maire de Châteauroux m'a fait citoyen d'honneur de la ville. Il était fier d'assister au retour de l'enfant prodigue. La cérémonie se déroulait dans un ancien couvent qui, jadis, abritait la gendarmerie dans laquelle j'avais été arrêté. Mon père y a fait allusion devant toutes les personnalités du canton : « Ça n'a pas toujours été un couvent, hein Gérard ? Tu connais bien la maison... » Et pour cause ! (*Rires*.)

— Il avait le sens de l'humour...
— Jean Carmet connaissait bien Dédé. Il y avait du Jacques Tati chez lui, en plus tragique que comique. Une gueule à la William Holden, une démarche à la Gary Cooper...

Tout à coup, le téléphone portable sonne... Gérard évoque l'achat d'un bijou avec son interlocuteur.

— L'amour de la pierre, des bijoux... Je tiens ça de ma grand-mère maternelle. Elle était tailleuse de diamants et de rubis. J'adore offrir des bijoux. C'est con parce que ça me coûte des fortunes. Un bijou n'est pas forcément un gage d'amour, c'est simplement ma façon à moi de faire découvrir aux gens que j'aime ce qu'ils ont de plus beau en eux. Mais je m'écarte du sujet... On en était où ?

— Châteauroux. Les années 50. Tes parents, tes grands-parents... Tu dis souvent, comme un titre de noblesse, que tu n'as pas fait d'études. Mais, si mes informations sont exactes, tu as suivi une scolarité tout à fait normale à l'école communale Saint-Denis de Châteauroux, et tu as même décroché ton certificat d'études en 1962, avant d'entrer en apprentissage chez un imprimeur...

— J'étais même un peu en avance sur mon âge, si tu veux tout savoir. Le jour où j'ai passé le certif', j'étais seul face au maître d'école. Personne à côté, personne devant, personne derrière. Pour eux, j'étais le copieur, le voyou parce que la police était déjà venue me chercher plusieurs fois. J'avais commis quelques larcins. Mais attention : je ne volais que les riches, jamais les pauvres. C'était un peu mon côté Robin des Bois. Ma principale occupation, c'était de trafiquer avec les militaires américains en poste à Châteauroux...

— Le directeur de l'école, Roger Lucas, aurait dit à l'époque : « Depardieu, il sera gangster ou comédien »...

— Il a peut-être dit « gangster », mais « comédien », je n'y crois pas une seconde. Ou alors ce sont des propos apocryphes...

— Comment tes parents ont-ils vécu le début de ta carrière, les premiers films, la célébrité ?

— C'était compliqué pour eux. Le cinéma, les vedettes, le show-business... Tout cela leur était parfaitement étranger. Je crois qu'ils étaient un peu perdus avec tout ça. Notamment quand les journalistes de la presse à scandales et les paparazzis allaient se mettre en planque pour photographier la Lilette. La pauvre ! Elle ne savait pas quoi dire, ni quoi faire. Et puis elle était malade. Elle avait du diabète, elle perdait la vue. Elle a fait trois infarctus ! Le troisième a été fatal. Elle est morte dans l'ambulance qui la transportait à Paris. A l'époque, je tournais *Drôle d'endroit pour une rencontre* avec Catherine

Deneuve. J'ai sauté dans le premier avion pour la rejoindre, mais nous avons été déroutés sur Montluçon. J'ai loué une voiture. Deux heures de route dans la nuit. Je suis arrivé à l'hôpital au petit matin, elle était dans le coma. Ils l'ont mise dans l'ambulance et elle est morte pendant le trajet avant d'arriver à Paris. Elle était jeune, elle venait d'avoir cinquante-neuf ans...

— Ton père, lui, est décédé quelques mois plus tard...
— Deux mois plus tard exactement. Il est mort de chagrin. Il était déjà très malade. Son ventre était tellement énorme que je croyais qu'il souffrait d'une cirrhose. En fait, c'était un cancer de l'appareil digestif. A l'hôpital Avicenne à Bobigny, le professeur Lucien Israël m'a dit : « Qu'est-ce qu'on fait ? On lui dit qu'il ne va pas s'en sortir ? » Je lui ai dit : « Non, on ne lui dit rien du tout. » La Lilette, elle, savait qu'elle allait mourir. Lui non. Je ne pouvais pas lui dire... J'allais le voir aussi souvent que possible, le soir, après les heures de visite. Il m'avait demandé de lui acheter une paire de babouches parce qu'il se disait citoyen du monde. Mon père était communiste, il vendait *L'Humanité* dans les rues de Châteauroux, par solidarité. Il disait : « Je n'ai pas de parti, je ne suis pas français, je suis citoyen du monde. »

— Vendre *L'Huma* à Châteauroux, avec ces milliers de soldats américains dans les rues, c'est cocasse...
— Oui. Il leur disait : « Foutez-moi la paix ! Je suis citoyen du monde, c'est tout. » Il faut se souvenir du contexte. L'OTAN avait choisi d'installer une base militaire à Châteauroux (*à partir d'avril 1951, la base aérienne de La Martinerie va devenir un énorme entrepôt, recevant avions et matériels en tout genre en provenance de la base américaine de Dayton, dans l'Ohio*). A cette époque, il y avait 19 000 habitants à Châteauroux. Avec les Améri-

cains, la population totale est passée à plus de 30 000 habitants. En quelques mois, la ville s'était américanisée : pop-corn, marshmallows, hamburgers, beurre de cacahuète, jeans, T-shirts, bars de GI, boîtes de strip-tease, soldats en Jeep, rock'n roll... Ils avaient colonisé notre imaginaire. A partir de l'âge de sept-huit ans, j'étais toujours fourré avec eux. En plus, ils avaient des dollars plein les poches...

— Tu ne les fréquentais pas que pour le rock et le pop-corn ?

— Au début des années 60, vers l'âge de douze-treize ans, j'ai commencé à trafiquer avec eux. Je mesurais déjà 1,75 mètre pour 70 kilos. D'ailleurs, il y a quelques années, un ancien soldat m'a envoyé une photo de cette époque. On me voit entre deux GI, Bobby et Danny, à la terrasse de l'hôtel restaurant Le Faisan : on avait tous les trois la même carrure. J'étais alors en apprentissage à l'imprimerie de Centre-Presse. Je trafiquais tout ce qu'il était possible de trafiquer : whisky, cigarettes... J'achetais des chemises américaines, des jeans, des T-shirts, que je revendais à l'hôtel du Faisan, au double ou au triple du prix. Je volais des bidons d'essence à la base. A l'époque, je me faisais à peu près 1 500 balles par semaine. Pour te donner un ordre d'idée, le Dédé gagnait 1 200 francs par mois. En une semaine, je gagnais plus que lui en un mois. Et sans trop me crever la paillasse.

— Et que faisais-tu de tout cet argent ?

— Je ne le thésaurisais pas. Je le dépensais, j'en donnais à ma mère, j'en faisais profiter mes potes...

— Tu ne devais pas être le seul à te livrer à ce genre de trafics ?

— Ah si ! J'étais quasiment le seul à pouvoir pénétrer dans la garnison. C'est d'ailleurs comme ça que je me suis fait prendre. Le trafic avait pris de l'ampleur : les intermédiaires auxquels je refilais ma camelote revendaient les cigarettes, les fringues, le whisky dans les campagnes. Un jour, l'un d'entre eux s'est fait arrêter par un barrage de police avec le coffre rempli. Il m'a balancé aux flics. J'avais déjà eu affaire à la justice et à la police pour des histoires de bagarres ou de vols de voitures. Mais là, c'étaient les douanes ! Ils n'ont rien trouvé lors de la perquisition, alors j'ai nié. Mais ils m'ont mis en taule pour vol de voitures, braquage... Trois semaines ! Il faut dire qu'ils m'arrêtaient tout le temps. Quand je suis sorti, j'ai décidé d'arrêter les frais et de prendre la route.

— Entre-temps, tu as fréquenté le club de boxe de la ville aussi...

— Oui, le club Jablonski. On se retrouvait dans une cave. A l'entraînement, tout se passait bien. J'étais même plutôt un bon puncheur, je servais de sparring-partner à quelques boxeurs américains. Mais dès qu'il y avait du public, j'avais le trac. J'étais trop émotif. Je cognais comme un sourd, je ne voyais plus rien, je tapais dans le vide. Evidemment, je finissais par me faire étaler. Cette hyperémotivité s'est calmée le jour où je me suis retrouvé sur une scène de théâtre.

— Je vais faire appel à tes souvenirs, si je te dis : Jackie Merveille, ça te rappelle quoi ?

— Un ami formidable. La loyauté incarnée. Un grand type qui avait une tête d'Américain. Il ressemblait à Elvis Presley. On le surnommait Lemmy Caution parce qu'il avait un bon gauche. Tous les deux, on faisait une sacrée paire. Il ne fallait pas nous chercher des noises ! On se peignait souvent avec des bandes rivales dans les fêtes foraines. La plupart des gens le considéraient comme un voyou. Pour moi, c'était un rebelle et, avant tout, un ami loyal. Un soir d'ivresse, avec un de ses copains, il a volé une voiture. Le véhicule est passé par-dessus un pont et s'est abîmé dans l'Indre. Il est mort sur le coup. C'était en 1968. Le jour de ses obsèques, c'est comme si j'avais enterré ma vie de jeune homme à Châteauroux. La fin d'une époque, le début d'une autre.

— Et Jackie Gallienne ?

— Un ami lui aussi, un gitan, un Manouche, menuisier de son état. Un vrai pote, comme Titi, un Algérien, toujours habillé en blanc avec une canne à la main. A l'époque, il y avait beaucoup de ratonnades, mais nous étions toujours du côté des Algériens. Je me souviens aussi de Milou qui est mort d'une cirrhose à dix-sept ans. Tu te rends compte : dix-sept ans ! Jackie Merveille, Jackie Gallienne, Titi, Milou... C'était ma bande, c'était mon monde.

— Dans une interview, tu as déclaré un jour : « On était tous des faux chefs de bande avec une homosexualité sacrément refoulée. » Que voulais-tu dire par là ?

— Ah oui, bien sûr, mais comme partout. Certaines bandes organisaient des ratonnades. D'autres faisaient la chasse aux pédés. Quand tu participes à ce genre de virées, c'est que, quelque part, ça t'excite ! Les mecs en bande, ça devient vite très cons ! A l'adolescence, je me souviens, on se rejoignait dans une cabane pour se branler tous ensemble, tu imagines le tableau ! Personne n'en parle, mais ça se pratique couramment dans les collèges anglais. C'est pour cela que j'ai souvent changé de bande. Je ne supportais pas ces agressions gratuites. Je me souviens qu'il y avait de la dignité dans le regard de ces Algériens ou de ces pédés morts de peur que certains venaient bastonner. Moi, je préférais les défendre.

— Tous ces amis dont tu parles, c'est un peu comme tes frères et sœurs, tu ne les vois plus. C'était une autre vie...

— Une autre vie ? Ah oui, c'est le mot : ils sont tous morts aujourd'hui ! Mais je ne fréquentais pas que des voyous. Il y avait aussi la famille Brossard : Hervé Brossard, qui est devenu un grand publicitaire, Christine, dont j'étais amoureux...

— J'ai tout de même l'impression que, le jour où tu as quitté Châteauroux, tu as rompu avec tout ça...

— C'est vrai, j'ai tiré un trait. Sauf avec mes parents et avec Michel Denisot, l'un des pontes de Canal + que j'ai revu bien plus tard. J'avais connu Michel devant le lycée de Châteauroux. C'était un type très bien élevé. Quand je le croisais en sortant de la salle de boxe, je prenais une grosse voix pour lui faire peur, je serrais les poings et je lui disais : « Attention, toi ! » (*Rires.*) De mémoire, je crois qu'il était plus ou moins amoureux de ma sœur Hélène. Il habitait Saint-Gauthier. Moi-même, j'avais une copine là-bas qui faisait le tapin. Quand il me voyait, je lisais l'angoisse dans son regard. Il devait se dire : « Qu'est-ce qu'il va me faire ? Il va me donner un coup ? » Michel, ce n'était pas le genre à fréquenter les bandes, mais c'était déjà quelqu'un de très débrouillard. Regarde où il est arrivé aujourd'hui : il n'a pas changé, il obtient toujours ce qu'il veut ! Moi, je suis parti très tôt de Châteauroux par rapport à eux. Je n'avais pas de structures familiales...

— Tu es parti à seize ans, c'est ça ?

— Oui, mais avant de monter à Paris, je suis allé voir la mer. Je suis monté dans le bus des supporters de l'équipe de football de Châteauroux qui faisait un déplacement à Monaco. Personne ne m'a remarqué. J'étais plus grand que les autres, j'avais des tatouages...

— Des tatouages, déjà ?

— Ce sont des prostituées qui m'avaient fait ça, Irène et Michèle ! (*Gérard rit à gorge déployée.*) Oui, des filles, ça t'en bouche un coin ! J'habitais chez elles de temps en temps, dans l'appartement qu'elles partageaient au lac de Belle-Isle. J'étais un peu leur mascotte. Je leur donnais un coup de main pour le ménage, je rabattais des clients parfois. Et puis, je venais à leur rescousse, à l'hôtel du Berry, quand certains michetons devenaient trop violents. J'étais un peu leur garde du corps. Protection rapprochée, si tu préfères. Elles disaient : « Pétard, il faut que tu rappliques, il y a un client qui fait du grabuge. » Et moi, je rappliquais aussi sec. Elles avaient un seau à charbon et une pelle. Je prenais la pelle et je fichais le type dehors...

— Pétard, c'était ton surnom ?

— Oui, depuis l'âge de trois ans. Tout le monde m'appelait Pétard ou Pétarou, parce que je pétais tout le temps. (*Rires.*)

— Je résume : tu n'as pas encore seize ans, tu fais déjà une tête de plus que les autres, tu fréquentes les rings de boxe, tu trafiques de l'alcool et des cigarettes avec les soldats de l'armée américaine, tu voles des voitures, tu participes à quelques braquages, tu joues les hommes de main pour des filles de petite vertu... Sacré curriculum vitae !

— D'abord, personne ne savait que je menais cette vie-là ! Tout ça peut paraître inouï aujourd'hui. Mais à l'époque, c'était normal. C'était ma vie. Mon ambition, c'était de m'en sortir, de faire le bien autour de moi, de faire rire. Surtout, je n'avais aucun préjugé sur personne. Quand j'allais faire le ménage — à tous les sens du terme — chez Irène et Michèle, j'étais persuadé de faire ma BA de la journée, de leur rendre service. Bon, c'est vrai que j'aimais bien la « chable », la castagne.

— Tout cela aurait pu très mal finir...

— Bien sûr. Il y a eu les trois semaines de prison pour vol de voitures. Avec les douanes, j'ai tout nié. Il ne s'est donc rien passé, mais j'ai dû quitter la ville. Je me souviens du JAP, le juge d'application des peines. Il s'appelait Paul Rège. Il m'avait fait la morale et m'avait dit, avant de partir, de lui envoyer une carte postale chaque jeudi pour qu'il sache où j'étais. J'étais en liberté surveillée. C'est sans doute ce juge qui m'a sauvé. Je n'en pouvais plus de cette ville. J'étais trop connu. Chaque fois qu'il y avait un mauvais coup dans les environs, les flics me tombaient dessus, les gens me montraient du doigt. Il fallait que je parte, vite ! Du jour au lendemain, j'ai tout quitté, ma vie, mes copains, mes frères et sœurs. Il devenait urgent de repartir de zéro. J'ai abandonné mon apprentissage juste avant d'avoir le diplôme. Je vivais de petits boulots, je parcourais la France en stop en adoptant chaque fois une nouvelle identité. Mais au cours d'un stage, en 1963, j'avais fait la connaissance d'un garçon qui s'appelait Michel Pilorgé. Il avait trois ans de plus que moi, son père était médecin. Un type bien, un bon élève, un vrai bourgeois. Un jour de l'automne 1965, j'ai décidé de le suivre à Paris. La seule chose que je savais, c'est qu'il fallait larguer les amarres avec Châteauroux. Vite.

— Et une fois à Paris ?

— J'ai débuté les cours de théâtre, j'ai reçu ma première éducation littéraire, j'ai commencé à lire la Bible, Molière, Dostoïevski, Racine... En neuf mois, ce fut comme une sorte de renaissance. Une deuxième naissance, vraiment. J'avais perdu la parole, je l'ai retrouvée en jouant sur scène les grands auteurs. Des textes aux-

quels d'ailleurs je ne comprenais absolument rien au
début. « La Grèce en ma faveur est trop inquiétée, de
soins plus importants je l'ai crue agitée... » J'étais fasciné.
Je ne comprenais rien, mais j'étais fasciné ! « Bon appétit,
messieurs ! Ô ministres intègres ! Conseillers vertueux !
Voilà votre façon de servir, serviteurs qui pillez la maison !
Donc vous n'avez pas honte, et vous choisissez l'heure,
l'heure sombre où l'Espagne agonisante pleure... » Tout
à coup, je découvrais un nouveau langage. En tout cas,
j'étais loin de Châteauroux... (*Rires.*) C'est mon ami
Michel Mouilleron qui m'a expliqué les alexandrins et
les quatrains. J'ai appris l'articulation à la manière de
Louis Jouvet (*Gérard imite alors l'intonation de Jouvet*) :
« Regarde le lustre et articule ! » J'ai appris que la pensée
vient avec le sentiment. Penser ne sert à rien. Le plus
important, c'est le sentiment, net, précis, lisible sur une
quinzaine de vers. Ce sont les fameux « Ah » de Molière
et les « Aaahh » des tragédiens. « A qui voulez-vous désormais que je fie le secret de mon âme, le soin de ma vie...
Reprenez le pouvoir que vous m'avez donné... » On dirait
de la musique. C'est ça qui me plaisait. En tout cas, tu
as compris : c'était un changement de vie complet.

— On va revenir plus en détail sur tes débuts, mais je
sens déjà de la fierté dans ton récit. Comme si tu disais :
« Regarde d'où je suis parti, regarde où je suis arrivé »...
— C'est vrai que j'ai dû travailler dur, énormément
même pour rattraper mon retard. Mais s'il y a de la
fierté, c'est d'abord celle du travail bien fait. La même
fierté qu'éprouvait mon père dans son atelier, avec son
tablier de sapeur en cuir et son fer à souder. Quand
j'étais gosse et que je le regardais travailler, je me disais :
« Je ne sais pas quel métier je ferai plus tard, mais il faut
que ça ressemble à ça, que je puisse éprouver la même
fierté. » Ce qui est admirable, c'est le chemin parcouru,
le travail pour en arriver là. La réussite ne me fascine

pas, l'argent non plus. Moi-même, je n'en ai jamais manqué. Déjà quand j'étais jeune, j'en glissais dans la poche de ceux qui en manquaient. Ça m'arrive encore aujourd'hui d'ailleurs...

— Je sais et, parfois, c'est très mal compris...

— Oui, c'est vrai. Certains se disent : merde, il n'est jamais là, et tout à coup, pour compenser son absence, il est d'une générosité excessive. Certains m'en veulent d'être comme ça. Mais je le fais de façon naturelle. J'ai toujours fonctionné ainsi ! Crois-moi : quand je te dis que je n'ai pas changé depuis Châteauroux, je ne te mens pas...

2

DEVIENS CE QUE TU ES !

> « Dès l'aube, ce qui naît cherche son nom. »
>
> Octavio PAZ.

Paris, le 5 mai 2004, au domicile de Gérard Depardieu, rue Leconte-de-Lisle, Paris 16ᵉ. Il est 10 heures du matin. Gérard a passé toute la nuit sur le tournage de 36, le film d'Olivier Marchal, avec Daniel Auteuil. Il est fatigué, enrhumé... Le réveil est difficile.

Laurent NEUMANN — Revenons à tes débuts et, notamment, à ton arrivée à Paris. Nous sommes en 1965 donc, tu as tout juste seize ans. Et ce jour-là, tu croises ton ami Michel Pilorgé à la gare de Châteauroux. Il s'apprête à prendre le train pour Paris et te propose de l'accompagner...

Gérard DEPARDIEU — C'était, pour moi, un moment charnière de ma vie. J'étais arrivé à la conclusion qu'il fallait quitter Châteauroux. Il devenait urgent de partir. Changer d'existence. Là-bas, j'étais connu comme le loup blanc. Dès qu'il y avait une bagarre, un braquage, la moindre petite « affaire », les flics me soupçonnaient, m'interrogeaient. Je crois que, pour moi, il n'y avait plus d'issues possibles à Châteauroux. Partir donc. Mais pour aller où ? Et surtout pour quoi faire ? Or, effectivement ce jour-là, j'errais du côté de la gare et je rencontre mon copain Michel Pilorgé. Il me dit qu'il part pour Paris, qu'il a l'intention de prendre des cours de théâtre, qu'il va s'installer dans un appartement assez grand pour m'accueillir et me propose de l'accompagner. Sur le coup, je n'ai pas accepté sa proposition. Mais trois semaines plus tard, je me suis pointé à l'adresse indiquée, 54, rue de la Glacière, avec un petit sac sur le dos et sans un franc en poche. J'avais enfin sauté le pas. Fini Châteauroux, les conneries, les petits trafics... Non pas fuir, mais changer de vie, d'horizon. Nouvelle ville, nouvelle vie ! C'est avec Michel Pilorgé, Michel Mouilleron et Michel Demoule que j'ai découvert le théâtre et les cours Charles-Dullin au Théâtre national populaire.

— Comment payais-tu les cours si tu n'avais pas un franc en poche ?

— Je ne payais pas. A l'époque, les cours coûtaient cinquante francs par mois. Mais je ne payais pas. Je faisais comme j'avais toujours fait au cinéma de Châteauroux : j'entrais au culot, sans payer, et personne ne me demandait jamais rien. Chez Charles-Dullin, il y avait Georges Riquier et Jean-Louis Trintignant – un très bon prof, Jean-Louis. Mais moi, je suivais les cours de Lucien Arnaut. En fait, je me contentais d'écouter, je me faisais le plus discret possible. Je regardais les autres élèves jouer leurs scènes, mais je ne comprenais rien à ce qu'ils disaient. Pour moi, c'était du chinois, comme une langue étrangère. J'ingurgitais, j'absorbais tout comme une éponge. Jusqu'au jour où Lucien Arnaut m'a dit : « Dis donc, toi : il faut absolument que tu me fasses ta scène. » Comme s'il me connaissait, comme si j'étais un élève comme les autres. Ce qui signifiait que j'avais réussi à donner le change. J'avais fait illusion : pour lui, c'était acquis, j'étais un élève de son cours. Un élève comme les autres. Enfin presque... Je me souviens avoir dit à Michel : « Mais qu'est-ce qu'il veut ? Je n'ai pas fait de scène. » Michel s'est marré : « Mais non ! Il ne te reproche pas de lui avoir fait une scène, il veut que tu apprennes un texte, c'est tout. » En l'occurrence, il s'agissait d'une fable de La Fontaine. Je me procure donc le texte, je rentre chez moi, je lis la fable sans tout comprendre, j'ânonne, je l'apprends, du moins j'essaie. Et puis, le lendemain, M. Arnaut me toise : « Ah, on va voir ta scène. Bon tu montes sur scène... Comment tu t'appelles déjà ? — Depardieu. — Tu es là depuis combien de temps ? — Ben, je viens juste d'arriver, m'sieur Arnaut »...

— Et tu es monté sur scène...
— Je suis monté sur scène...

— Et alors ?
— Et alors rien ! J'ai dit à Lucien Arnaut : « Je n'ai pas travaillé de scène. » Il n'a pas eu l'air froissé, il m'a dit : « Bon, fais-moi une impro alors... » Et là, je n'ai rien dit. J'ai commencé à rire. Doucement. Puis, de plus en plus fort. Un rire communicatif. Tout le monde riait, même le professeur. Et moi, je riais de plus belle. Entendre rire les autres à gorge déployée me faisait rire encore plus. L'improvisation avait fonctionné... Et voilà, tout a commencé comme je te le raconte. A la fin de l'improvisation, Lucien Arnaut m'a dit d'un air complice : « Je vois que tu connais le comique Antoine. » Antoine était un comique de cabaret qui se produisait à Bobino dans un numéro presque similaire. Il montait sur scène avec une valise. Il en extirpait une table, une chaise pliante et un réveil qu'il remontait. Il regardait le public avec une gueule sinistre et disait simplement : « Mainte-

nant, je vais vous faire rire pendant dix minutes. » C'est tout. Et le public finissait par hurler de rire... Inutile de te dire que je ne connaissais ni Antoine, ni personne d'ailleurs. Je n'avais jamais mis les pieds dans un théâtre ou dans un cabaret, ni à Châteauroux, ni à Paris. Mais en tout cas, j'avais réussi l'examen de passage, je n'étais plus un simple auditeur libre, j'étais devenu un élève à part entière.

— C'est-à-dire ?

— Je m'asseyais dans la salle et j'écoutais les mots. J'étais comme hypnotisé par le travail des autres. Pour moi, c'était un changement radical d'époque, une autre vie. J'allais à l'école, mais je n'étais pas obligé de rendre des devoirs. C'est là que j'ai véritablement décollé. Je suis resté six mois aux cours Charles-Dullin. J'y ai beaucoup appris, et puis, l'année suivante, Michel Pilorgé et moi sommes allés nous inscrire chez Jean-Laurent Cochet où Michel Arroyo nous a rejoints, plus tard.

— A ce moment-là, tu habitais toujours avec eux ?

— Michel Pilorgé partageait un appartement dans le 13ᵉ arrondissement, rue de la Glacière, avec sa sœur et son frère qui faisait des études de médecine. Michel Mouilleron, lui, avait une espèce de petit studio où je squattais. C'est lui qui m'a ouvert à la littérature. Il m'a fait lire la Bible, les livres de science-fiction... En fait, c'est lui qui m'a appris à lire, à déchiffrer les alexandrins. Lui-même écrivait des nouvelles, des poèmes ; il était fasciné par Edgar Allan Poe, Lovecraft, par toute la littérature fantastique. Je passais mon temps dans les livres. J'adorais ça. Tout à coup, j'étais propulsé dans l'imaginaire, dans le rêve, Alexandre Dumas, *Le Vicomte de Bragelonne*, *Joseph Balsamo*...

— Fin 1966, tu débarques au théâtre Edouard-VII, chez Jean-Laurent Cochet...

— Un grand monsieur qui m'a tout appris. Surtout, il m'a compris. Il m'a laissé travailler à l'instinct sans jamais tenter de me faire entrer dans un moule. Il aurait pu ne prêter aucune attention à mon cas, se désintéresser de moi. Au contraire, il a pris le temps de m'apprivoiser, de me connaître. Il faut voir l'allure que j'avais à l'époque ! Quand je suis arrivé chez lui, j'avais les cheveux longs, une tête de beatnik, des grosses bottes en fourrure, un pantalon informe. Je ne me lavais quasiment jamais, je ne ressemblais à rien. A rien de connu pour lui en tout cas. Il en parle d'ailleurs dans son livre de mémoires. Pour lui, je n'étais pas un élève ordinaire, j'étais presque une sorte d'extraterrestre, un enfant sauvage. Mais ça ne l'a nullement dérangé. Très vite, il m'a demandé de travailler *Caligula*, une pièce d'Albert Camus. Michel Pilorgé devait jouer Scipion. J'avais un trac incroyable. L'une des premières fois où j'ai dû jouer devant mes camarades de promotion, j'étais tellement impressionné qu'au moment de dire ma réplique : « Viens, assieds-toi », j'ai donné un grand coup sur la chaise qui s'est brisée net sur la scène. J'ai cru que c'était le début de la fin. J'avais l'impression que le monde s'écroulait en même temps que la chaise ! Jean-Laurent Cochet m'a demandé de venir le voir. Il m'a dit : « Tu ne parles pas ? » Je lui ai dit la vérité : « Bah non, je ne parle pas, je ne sais pas. En fait, je ne comprends pas ce que je dis. — Mais tu as déjà fait du théâtre, n'est-ce pas ? » Et là, j'ai fait un demi-mensonge. « Oui, oui, bien sûr. » Je lui ai répondu que j'étais monté sur scène à Bourges avec Gabriel Manet. En fait, j'étais rentré dans le théâtre par l'arrière du bâtiment pour ne pas payer et je m'étais retrouvé sur scène par hasard. S'il avait posé d'autres questions, il aurait découvert la supercherie. Mais il a eu l'intelligence de faire semblant de me croire. « Bien, tu vas me travailler Pyrrhus. » Pyrrhus ? Jamais entendu ce nom-là. Je prenais des notes... « Tu vas travailler Hippolyte. » Hippolyte ? Inconnu au bataillon. Je notais toujours... (*Silence.*) Je ne connaissais rien. Je n'avais rien lu, ni *Andromaque*, ni *Phèdre*. Pyrrhus, je croyais que c'était le nom d'un chien ! J'ai compris le soir, en racontant mon entrevue à Michel (*Pilorgé*), que Cochet ne se foutait pas de ma gueule, que c'était vraiment sérieux. Et là, j'ai vraiment commencé à travailler, à apprendre mes textes.

— C'est Jean-Laurent Cochet qui a détecté tes problèmes d'élocution et qui t'a adressé au professeur Alfred Tomatis, un spécialiste du langage installé boulevard de Courcelles près du parc Monceau...

— Absolument. En fait, tous mes problèmes de langage et d'élocution provenaient d'un défaut d'audition. Plus exactement, j'étais handicapé par une sélectivité auditive. En réalité, à l'âge de seize-dix-sept ans, j'avais l'oreille parfaite. J'étais capable d'entendre des fréquences que la langue française, d'ordinaire, ne détecte pas. Contrairement à la langue russe par exemple. C'est pour cette raison, d'ailleurs, que les Russes ont tant de facilité à apprendre les langues ; ils entendent tout ! Bref, je percevais tellement de sons que j'avais perdu certaines facultés d'émission. C'est le professeur Tomatis qui a découvert cette anomalie et soigné ce traumatisme. Le mot n'est pas trop fort. D'une certaine manière, c'est chez lui que j'ai retrouvé le plein usage du langage. J'ai été pris en charge par une psychologue, Dominique Cavé. J'ai passé des après-midi entiers dans leurs locaux à écouter des cassettes de Mozart au casque. Ces séances coûtaient une petite fortune, mais je n'ai jamais rien payé.

— Aux cours Charles-Dullin, tu ne payais pas. Chez
Jean-Laurent Cochet, c'était gratuit, et le professeur
Tomatis te faisait crédit aussi...

— Oui, je suppose que Jean-Laurent Cochet avait dû
passer le mot. Quand je suis arrivé au théâtre Edouard-
VII, je lui ai tout de suite dit la vérité : « Je n'ai pas d'argent. » Il m'a dit : « Ça ne fait rien, je vais te prendre
quand même. » Il m'a aussi envoyé chez Odette Laure
pour suivre des cours d'expression corporelle, chez
Marie Marquet — autre femme admirable — pour
prendre des cours de poésie. Il m'a adressé à un professeur de français, M. Souami, un Algérien, paralysé, qui
vivait à Issy-les-Moulineaux et qui m'a aidé à
comprendre le sens des textes que je devais apprendre.
Tiens, par exemple, dans *Britannicus,* je me souviens de
ce vers : « Que dis-je, aimer ? J'idolâtre Junie. » Je ne
connaissais pas ce mot, « idolâtrer ». Pour moi, cela signifiait que mon amour pour Junie était tellement fort qu'il
jaillissait de l'âtre de la cheminée ! C'était une belle
interprétation non ? (*Rires.*) Toujours est-il que, grâce à
lui, j'ai pu mettre des mots sur les choses, des images sur
les mots, comprendre ce que j'ânonnais bêtement, lire
enfin Alfred de Musset, George Sand... Quand j'ai dit
récemment à Abdelaziz Bouteflika, le chef de l'Etat algérien, que j'avais appris le français avec un Algérien, il
n'en revenait pas ! Grâce à lui, tout à coup, les textes
devenaient limpides, donc faciles à apprendre par cœur.
Moi qui mourais de trac sur une scène comme sur un
ring de boxe, j'étais comme libéré de mes peurs, de mes
craintes, de mes complexes... Et tout cela, je sais que je
le dois à Cochet. Il a tellement fait pour moi. Plus
encore, sans doute, que pour les autres. C'est pour être
digne de sa confiance que je me suis mis à travailler
d'arrache-pied. Et puis, il y avait une véritable émula-
tion. Je devais être à la hauteur des autres élèves : Anne-
Marie Quentin, Evelyne Pagès, Pierre Andrieu, Elisa-

beth Guignot (*future Mme Depardieu*)... Fabrice Luc-
chini, lui, est passé après moi. On s'est juste croisés. En
fait, je ne suis resté qu'une saison chez Cochet. J'ai joué
Boudu sauvé des eaux avec lui en 1968, et puis je suis
reparti vers les plages de la Côte d'Azur.

— Avant de partir, tout de même, tu avais laissé traîner quelques photos dans des chaînes de télévision...
— C'est vrai. Et c'est Jean-Michel Meurisse qui m'a
rappelé pour faire un feuilleton qui s'appelait *Rendez-vous
à Baden-Berg*, avec Elisabeth. Surtout, Cochet m'a engagé
au théâtre, dans *Les Garçons de la bande*, une des toutes
premières pièces sur l'homosexualité. Je jouais le rôle d'un
garçon qu'on offrait en cadeau à un homme pour son
anniversaire. A partir de là, les choses se sont enchaînées
naturellement. Je faisais des remplacements au Café de la
Gare dans un spectacle intitulé *Des boulons dans mon
yaourt* ; je jouais dans *Galapagos*, une pièce de Jean Chatenet, avec Bernard Blier. C'est là, je crois, que Bertrand
Blier m'a repéré pour *Les Valseuses* dont le tournage a
débuté en 1973. J'ai fait également quelques petits films
avec Jean Gabin, notamment. Je ne sais pas pourquoi
mais Gabin m'aimait bien. Il m'avait, pour ainsi dire, pris
sous son aile... Mon côté voyou provincial, peut-être.

— Tu n'as pas encore vingt ans, mais tu joues déjà au
théâtre avec Bernard Blier et tu es le petit protégé de
l'immense Jean Gabin...
— En fait, j'avais tourné avec Gabin dans *Le Tueur*
de Denys de La Patellière en 1971, puis dans *L'Affaire
Dominici*, l'année suivante, et enfin, en 1973, dans *Deux
hommes dans la ville* de José Giovanni, avec Alain Delon
et Michel Bouquet. C'est lui qui m'avait imposé sur le
tournage. A cette époque, on ne lui refusait rien. Il y
avait une sorte de rivalité entre Gabin et Blier que je
connaissais très bien aussi pour avoir déjà joué au théâtre

et au cinéma avec lui, dans *Le Cri du cormoran le soir au-dessus des jonques*, de Michel Audiard. Ils s'étaient engueulés tous les deux à mon sujet : « Tu peux dire quand tu prends le môme, merde. » La vérité, c'est que j'ai eu la chance inouïe d'avoir plusieurs pères. Et quels pères ! Jean Gabin, Bernard Blier, Dalio...

— Blier père et Blier fils.
— Blier père d'abord. Blier fils ensuite, oui. J'adorais Bernard Blier, jusqu'au jour où il m'a brouillé avec son fils, Bertrand. J'en étais tellement furieux que j'ai failli le jeter d'une falaise.

— Tu as failli jeter Bernard Blier d'une falaise ?
— J'étais un peu nerveux à l'époque. Il avait dit que je n'apprenais pas mon texte. C'est vrai que je buvais pas mal à l'époque, mais j'étais toujours *straight* sur les tournages. Un jour, sur le tournage de *Buffet froid* en 1979, Bernard a dit à Bertrand : « Il nous fait chier le môme avec l'alcool, il n'apprend pas son texte. » Le soir, je suis allé voir Bernard qui fumait tranquillement sa pipe. Je l'ai coincé entre deux voitures et je lui ai dit, les yeux dans les yeux : « Bon, ben ça y est ! T'as réussi ton coup, on ne se parle plus avec Bertrand. T'es content ? Tout ça, c'est ta faute. Tu lui as dit que j'étais bourré tous les jours. Regarde derrière toi, il y a 120 mètres de vide. Je pourrais très bien te pousser et dire que tu as glissé. Tu me connais, tu me traites assez souvent de dingue pour savoir que je pourrais le faire... » Il ne bougeait plus, il était tétanisé. Je l'ai laissé au bord de la falaise. On a attendu un an pour se reparler.

— Et vous êtes redevenus les meilleurs amis du monde...
— Oui, oui. Avec Bernard comme avec Bertrand. Je mesure la chance que j'ai eue de les avoir tous les deux

à mes côtés. Michel Audiard aussi m'a beaucoup aidé. Voilà un autre de mes pères de cinéma. Il m'a fait jouer dans *Le Cri du cormoran le soir au-dessus des jonques* en 1971. On est très vite devenus des inséparables. On partageait le même goût de la vie, le même humour. Michel était un personnage épatant, un ami qui n'avait que des amis. C'est à ce moment-là que j'ai rencontré Jean Carmet. Encore un père pour moi. Sauf que, avec lui, les rôles s'inversaient parfois. Il m'arrivait d'être son propre père. Un jour, il jouait au théâtre à Lyon avec Roger Planchon. Il m'a dit : « Viens me voir, j'y arrive pas, ça me fait chier, il me dit des trucs, je ne comprends rien. » Je suis allé le voir à Lyon et je lui ai dit : « Ecoute mon Jeannot, laisse tomber, tu n'as rien à apprendre de ce mec-là. » Je crois que ça lui a fait du bien. J'avais joué avec Planchon dans *Le Retour de Martin Guerre*. Je me souviens qu'il n'aimait pas *Cyrano*. Je trouvais con de sa part de se limiter à un goût unique. A l'époque, je n'étais pas respectueux, je disais ce que je pensais sans me gêner. Or, moi, mes maîtres de théâtre, c'était Jean-Laurent Cochet, Claude Régy. C'était autre chose que Planchon...

— Revenons un tout petit peu en arrière. Chez Jean-Laurent Cochet, tu rencontres Elisabeth Guignot. Le coup de foudre, dit-on, aurait eu lieu lors d'une scène de *La Lune est bleue* que vous deviez jouer ensemble...

— Le coup de foudre ? Tu parles ! Je ne pouvais pas imaginer une seconde qu'une femme puisse m'aimer ou tomber amoureuse de moi. Plaire à une fille, moi ? J'avais eu des copines, quelques aventures sans lendemain, mais au fond, je n'étais pas apte pour l'amour. Je n'avais aucune prédisposition au sentiment amoureux. Il faut d'abord s'aimer soi-même pour imaginer être aimé par quelqu'un d'autre. Moi, je ne m'aimais pas. Enfant déjà, je considérais que je n'étais pas désiré. Donc, devenu adulte, je ne pouvais pas être désirable. Et puis, Elisabeth, elle, vivait avec un peintre irlandais, David Walsch, un ami de Francis Bacon qui faisait de très belles choses. Tu te rends compte du fossé culturel entre nous ?

— Elisabeth n'appartenait pas au même milieu social que toi. Elle est née à Bourg-la-Reine. Son père, polytechnicien, est directeur commercial à la RATP. Sa mère est issue d'une famille de la vieille noblesse grenobloise. Elle fréquente les intellos de Saint-Germain-des-Prés. Elle a vingt-trois ans, toi dix-sept. C'est une frêle jeune femme quand toi tu dépasses déjà allègrement le mètre quatre-vingts...

— Ah ça, on ne peut pas faire plus dissemblables ! Elisabeth avait étudié l'art dramatique avec Tania Balachova. Quand je l'ai rencontrée, elle préparait, si ma mémoire est fidèle, un doctorat de troisième cycle en psychologie. En tout cas, ce qui est certain, c'est que je ne correspondais pas vraiment au gendre idéal dont M. et Mme Guignot rêvaient pour leur fille. Pourtant, quand j'ai fait ma demande en mariage, son père a dit devant tout le monde : « Gérard a quelque chose de beaucoup plus important que l'instruction, il a un grand cœur. » Les parents d'Elisabeth étaient de vrais bourgeois, mais avec l'intelligence du cœur. Le grand projet de son père à la RATP, c'était que les ouvriers ne paient pas le métro. Un patron social, en quelque sorte ! Quant à sa mère, une Amat-Dupeix issue de la noblesse capétienne, c'était aussi une femme très bien. On s'est mariés civilement le 11 avril 1970 à Bourg-la-Reine. Notre mariage fut vraiment la rencontre entre deux univers aux antipodes l'un de l'autre. Michel Pilorgé, qui était mon témoin, est allé chercher en voiture mes parents à la gare d'Austerlitz. Tu imagines le Dédé dans son vieux costume et la Lilette avec sa robe à fleurs, arrivant à la mairie ? Les Guignot d'un côté, les Depardieu de l'autre ? J'avais dit à mon père de ne pas trop forcer sur la bouteille : ce jour-là, il n'a bu que du Pschitt Orange... (*Rires.*) Mais au-delà du milieu social, les femmes, pour moi, venaient d'une autre planète. J'étais incapable de faire la cour à une fille. Encore qu'Elisabeth et moi avions un point commun : nous vivions tous les deux du même métier. En 1965, grâce à une rencontre au café Polytech avec la nièce du réalisateur Roger Leenhardt, j'avais tourné avec lui un moyen-métrage, *Le Beatnik et le Minet*, une allégorie de l'histoire de Socrate. Mais c'est vrai qu'Elisabeth et moi, nous n'étions pas du même monde. Elle fréquentait des artistes, des intellectuels. Moi, j'étais toujours fourré au café des travestis de la montagne Sainte-Geneviève, chez la mère Georgette. Mes copains, c'étaient des travelos. Une certaine Paulette, notamment. Enfin... Paul, plus exactement. Un Alsacien habillé en femme, un ancien légionnaire avec une énorme choucroute blonde sur la tête, un ex-parachutiste monté comme une armoire normande, mais fringué dans une robe léopard. Tu vois le tableau... Et en plus, il était amoureux de moi. Une fois, il m'avait dit : « T'en fais pas pépère, un jour, tu verras, je t'aurai ! Tu ne sais pas ce que c'est que de se faire sucer par un mec... » Un jour, il m'a raconté qu'il était allé dans cet accoutrement à l'enterrement d'un membre de sa famille en Alsace. Tu imagines la tête des gens en le voyant ? Eh bien, crois-le si tu veux : personne ne l'a reconnu ! J'aurais adoré écrire une nouvelle ou faire un court-métrage sur l'histoire de ce type... Enfin, bref, mes potes, c'était ça. Pas vraiment le genre d'Elisabeth !

— Comment vos deux mondes ont-ils tout de même fini par se rencontrer ?

— A Paris, j'étais le même qu'à Châteauroux. Je pouvais fréquenter à la fois la basse ville (les putes à Châteauroux, les travelos à Paris) et la grande bourgeoisie. Souviens-toi de mon amitié avec la famille Brossard. C'est mon côté caméléon : je me sens bien partout et avec tout le monde. Avec les riches comme avec les pauvres. Avec les intellos comme avec les ignares. Avec les dépravés comme avec les plus vertueux. Je suis comme ça depuis ma plus tendre enfance. Aujourd'hui encore, je n'ai pas changé : je suis toujours adaptable à tout et partout...

— Une chose, tout de même, venait de changer : Elisabeth était amoureuse de toi. Et ça, depuis Châteauroux, cela ne t'était jamais arrivé...

— C'est vrai. Même si à Châteauroux, j'étais tombé amoureux d'une fille, autrefois, qui s'appelait Claudine. Elle était élève au lycée des Charmilles. Moi, je faisais mon petit trafic avec les Américains. Elle m'ignorait totalement. Je restais des heures à la regarder dans la cour de récréation. Un jour, j'avais même pris une mobylette pour aller jusqu'au château où elle vivait, juste pour voir son environnement quotidien, sentir l'odeur de ses chevaux. Des amours platoniques ! J'étais incapable de déclarer ma flamme à une fille...

— Ce que tu essaies de me dire, c'est qu'Elisabeth a été ta première véritable histoire d'amour...

— Oui... Enfin... Pour être honnête, pas tout à fait. Je vais te raconter une histoire que je n'ai jamais racontée à personne. A Châteauroux, j'étais amoureux d'une fille qui s'appelait Marie-Christine. Son père était un notable du cru, assureur de son métier, qui ne voulait même pas entendre parler de moi. Je n'appartenais pas à son milieu. Donc, je ne méritais pas sa fille. On devait se planquer pour se voir. C'était à la fois romantique et odieux comme situation. A l'époque, on se donnait rendez-vous en cachette à l'hôtel du Berry. Je connaissais bien le patron, il me filait la clé de la chambre pour pas un rond. J'adorais ces moments volés à sa famille, à son monde. De très beaux souvenirs, mais hélas symboliques de tout ce que je ne supportais plus à Châteauroux. Ce système de castes, basé sur l'argent, le statut social, le paraître. Surtout ne pas se mélanger. J'étouffais de cela... J'ai revu Marie-Christine quand je tournais *Le Colonel Chabert*. Eh bien, je te jure que c'est vrai : elle était devenue... Madame la baronne !

— Je reviens à Elisabeth : coup de foudre ou pas coup de foudre ?

— Oui, on peut dire ça comme ça, un coup de foudre. En tout cas, tout s'est fait très vite. Nous sommes allés à Ibiza ensemble. Son compagnon de l'époque, David Walsch, était beaucoup plus âgé qu'Elisabeth ; il s'est très vite rendu compte qu'il y avait quelque chose entre nous. Au retour, nous nous sommes installés tous les deux. Nous étions en 1969 ; on s'est mariés en 1970 et Guillaume est né en 1971. Nous avons d'abord habité quelque temps dans un tout petit appartement de la rue Lepic qu'occupait Elisabeth, au pied de la butte Montmartre, dans le 18e arrondissement, puis nous sommes allés nous installer à Vanves. C'est Nathalie Baye qui a repris le petit studio de la rue Lepic. Nathalie était une amie, nous étions de vrais complices au théâtre, et ça nous faisait très plaisir, à Elisabeth et à moi, de savoir qu'elle prendrait notre succession dans cet appartement où nous avions vécu les premiers moments de notre vie de couple...

— Julie est née en 1973, au moment du film de Bertrand Blier, *Les Valseuses*. C'est à ce moment-là que la famille Depardieu a émigré à Bougival, près de Paris...

— La famille s'agrandissait, et surtout je commençais à avoir de plus en plus de contrats. Julie, c'est vrai, est née au moment du tournage des *Valseuses*. Je jouais une pièce de Peter Handke, *La Chevauchée sur le lac de Constance*, montée par Claude Régy, avec Samy Frey, Michaël Lonsdale, Delphine Seyrig et Jeanne Moreau. Et puis, surtout, Bertolucci voulait m'engager pour *1900*. Cette année-là, en 1974, je me souviens d'un grand dossier dans l'hebdomadaire *Le Point* sur les cent personnalités qui allaient compter dans les années à venir. A ma grande surprise, j'y figurais. Je me suis dit que le moment était peut-être venu de nous agrandir, de chercher une vraie maison pour abriter toute la famille. Sur les conseils de Catherine (Deneuve) et de Marcello (Mastroianni), Bernardo Bertolucci était venu me voir jouer au théâtre. Il avait déjà auditionné des dizaines d'acteurs, mais il cherchait encore un type avec une tête de Russe. A l'époque, j'avais repris la boxe. Je m'entraînais pour mon rôle dans le film de Sautet, *Vincent, François, Paul et les autres*. Bertolucci m'a demandé de venir le voir à Rome. C'était la première fois que je mettais les pieds là-bas. J'ai tout de suite adoré Rome, ses pins parasol, ses filles. Je trouvais que cette ville sentait le sexe. Bernardo m'a tout de suite engagé avec Robert de Niro, et on a commencé le tournage à l'été 1974...

— Et c'est avec l'argent du cachet de Bertolucci que tu as acheté la maison de Bougival ?

— La maison était promise au musicien Claude Bolling. A mon retour à Paris, je suis allé voir un banquier avec mon contrat italien dans une main et l'hebdomadaire *Le Point* dans l'autre, pour négocier le meilleur crédit possible. « Voilà, je m'appelle Depardieu, je suis acteur, je commence à faire du théâtre et du cinéma. » Par chance, le type m'avait vu au théâtre dans la pièce de Handke. En sortant de son agence, j'avais mon crédit en poche. La maison coûtait alors 1,4 million de francs. Très vite, j'ai remboursé le crédit et j'ai acheté la maison d'à côté, avec le terrain. L'opération inquiétait Elisabeth, mais elle m'a fait confiance.

— C'est ton côté paysan. L'argent n'a de valeur concrète que s'il est investi dans la terre ou dans la pierre, c'est ça ?

— C'est un peu ça, oui. L'argent a toujours été quelque chose d'abstrait pour moi. Mes cachets sont versés sur des comptes bancaires. Je ne sais jamais de combien je dispose. L'argent n'est concret que s'il est investi dans quelque chose de solide ou lorsqu'il est en liquide dans ma poche. Quand je faisais mes petits trafics avec les Américains à Châteauroux, je glissais des billets dans le porte-monnaie de ma mère sans qu'elle s'en aperçoive. Ça, c'était du concret ! L'argent pour l'argent, l'argent pour le pouvoir qu'il procure ne m'a jamais fasciné. L'argent doit se concrétiser dans l'achat d'une maison ou d'un terrain. Quelque chose qui dure...

— On dit souvent qu'Elisabeth a été un peu ton Pygmalion. Est-ce vrai ?

— Je ne sais pas si l'on peut dire qu'elle a été mon Pygmalion. En tout cas, nous nous sommes aimés. Beaucoup. Ce qui est certain, c'est qu'elle m'a ouvert l'esprit, elle m'a mis en contact avec des formes de culture que j'ignorais totalement. Elle m'a emmené visiter des musées, des galeries de peinture du Quartier latin. Mais je crois que mon vrai Pygmalion fut Jean-Laurent Cochet. C'est lui qui m'a fait rencontrer les grands textes, les grands auteurs ; c'est lui qui m'a fait devenir ce que j'étais. Mais, c'est vrai, Elisabeth a joué un rôle fondamental. Dans ma vie privée bien sûr, mais aussi dans ma vie artistique et professionnelle. Je travaillais beaucoup, je voyageais souvent, et elle a su pallier mes absences, mes carences, s'occuper des enfants, au détriment, sans doute, de sa propre carrière. Surtout, elle a toléré beaucoup de choses de ma part : mes excès, mes conneries, mes fuites... En même temps, elle savait trouver les mots pour me remettre dans le droit chemin, me rappeler les priorités. Elle n'était pas psychologue pour rien !

— Etait-ce difficile, pour toi, d'être père de deux enfants à vingt-quatre ans ?

— Bien sûr que c'était difficile. La plupart de nos problèmes relationnels proviennent de là. Guillaume naît en 1971, j'ai vingt-deux ans. Julie arrive en 1973, je n'ai pas encore vingt-quatre ans. On n'est pas préparé à devenir père à cet âge-là. Surtout moi. Je n'avais pas le mode d'emploi. En 1974, je les ai emmenés en Italie pendant quinze mois pour faire le film de Bertolucci. Ils allaient dans une école italienne. Ils habitaient à Rome pendant que, moi, je tournais à Parme. J'allais les voir tous les week-ends. Plus tard, quand nous sommes rentrés à Paris, j'ai demandé à ma sœur Hélène de venir nous donner un coup de main. Elle a beaucoup aidé Elisabeth. C'est d'ailleurs comme ça qu'Hélène a rencontré son mari, Patrick Bordier, au cours d'une représentation en 1979. J'avais moi-même connu Patrick aux puces de la porte de Vanves...

— Peut-on dire que c'était l'époque du bonheur parfait ?

— Parfait, je ne sais pas. L'époque de l'innocence, de l'insouciance, oui, assurément. Avec, encore une fois, les difficultés inhérentes à mon métier. Elisabeth a beaucoup contribué à préserver le fragile équilibre familial. Jusqu'au jour où, lorsque Guillaume a eu environ treize ans, j'ai découvert du shit et du hasch à la maison. Je crois que c'est un ami d'Elisabeth qui fumait et qui avait dû laisser traîner ça à Bougival...

— Avant d'en arriver aux problèmes de Guillaume avec la drogue, je voudrais qu'on parle de sa petite enfance. Dans son livre (*Tout donner*, Plon, 2004), il raconte qu'il est né anormal : « *Tout petit déjà*, écrit-il, *j'étais différent...* »

— C'est vrai, il est né sous Distilbène. Sa mère avait pris ce médicament, interdit aujourd'hui, qui a valu à Guillaume des malformations corporelles. Il avait notamment une exostose, une excroissance osseuse sous le bras. Il a dû aussi être opéré du sexe pour un hypospadias. Je sais qu'il a beaucoup souffert de tout ça, physiquement et psychologiquement. Ce produit a fait des ravages, les médecins savaient que le Distilbène présentait des dangers, mais ils ont continué à le prescrire pendant des années. Des procès sont toujours en cours d'ailleurs... Mais ce dont Guillaume a le plus souffert, c'est de porter le nom de Depardieu. Aux yeux des autres, il était « le fils de... ». Il a payé pour ça, je le sais. Avec ses camarades d'école, avec ses professeurs. C'est pour cela aussi que je maudis cette banlieue ouest de Paris. J'allais le chercher à la sortie de l'école au moment où j'étais à l'affiche de *La Dernière Femme* de Marco Ferreri, un film interdit aux moins de seize ans (1976), dans lequel mon personnage se tranche le pénis avec un couteau électrique sous l'œil de sa compagne (Ornella Muti), histoire d'établir l'acte de décès de leur couple. Du *Figaro* à *Libération*, le film avait provoqué un tollé. Forcément, pour les parents d'élèves comme pour leurs enfants, j'étais un type hors norme, limite infréquentable. Guillaume a payé cher pour tout ça, il en a pris plein la tête. J'aurais dû lui faire changer de nom. Je lui ai d'ailleurs proposé de le faire, plus tard, mais il n'a jamais voulu. J'aurais dû le faire moi-même, bien avant, pour lui éviter tout cela.

— Toujours dans son livre, Guillaume raconte que, enfant, il était un petit « sauvage », qu'il ne fichait pas grand-chose à l'école et que, dès l'âge de treize ans, il a commencé à fumer du shit et à sniffer de la colle. Tu étais au courant ?

— Oui, j'étais au courant parce que, un jour, comme je te le disais, j'ai découvert du shit à la maison, à Bougival. Or, j'avais toujours dit que je ne voulais pas de cette merde à la maison. Il est vrai que moi-même, je n'étais pas un modèle de vertu. J'avais mes bouteilles de vin, je buvais beaucoup, j'étais saoul parfois, je faisais des repas très arrosés. Je n'ai sans doute pas été un père exemplaire de ce point de vue. J'étais tout le temps dans l'excès : je buvais trop, je mangeais très vite parce que j'étais attendu sur les plateaux de tournage, j'étais beaucoup plus agité que maintenant. Avec Roxane, que j'ai eue à quarante-quatre ans, c'est complètement différent. Mais comment être exemplaire à vingt-cinq ans ? Moi, je n'ai pas su, je n'ai pas pu...

— Comment as-tu réagi quand tu as découvert qu'il en était déjà à la colle et au shit à l'âge de treize ans ?

— Je ne pouvais pas imaginer un seul instant que mon fils puisse fumer du shit. Ou, plus exactement, je n'ai pas voulu voir l'évidence. Je n'ai pas réagi de manière assez tranchée. J'aurais sans doute dû m'occuper plus de lui, être plus présent, modérer mes propres excès. Mais j'évoluais dans un milieu où il y avait tellement d'abus. Dans le cinéma, la drogue, c'était quelque chose de presque naturel ! Je vivais quotidiennement avec des gens qui se shootaient, Patrick Dewaere par exemple.

— ...

— Patrick prenait de tout, ce n'est pas un *scoop*. A l'époque des *Valseuses*, il fumait beaucoup. Moi, je ne pouvais pas, ça m'endormait. Tout le monde, en fait, se droguait. Moi-même, j'ai pris des trucs avec lui, de l'héroïne notamment. Patrick sombrait parfois dans des

phases de profonde déprime. C'était ma manière à moi
de l'accompagner dans ses moments d'immense solitude. Mais, contrairement à lui, j'avais une santé de fer.
J'étais bâti comme un roc, j'aurais pu absorber n'importe
quoi. Lui était beaucoup plus fragile que moi. Je voyais,
jour après jour, le mal que cette saloperie lui faisait. J'ai
même essayé de le faire décrocher. Je l'avais mis au
sport, on faisait du vélo ensemble. Moi, je n'avais aucun
mérite d'arrêter, je préférais le vin et la bière.

— Est-ce que Guillaume savait que tu prenais de
l'héroïne ?

— De l'héroïne, je ne crois pas. Enfin, peut-être... Je
ne sais pas. En tout cas, il savait que je n'aimais pas
fumer. Mais je t'ai dit que je n'étais pas un père modèle.
Je crois que lui-même a découvert l'héro quand il a
commencé à étudier la musique. L'héroïne est une sub-
stance difficile à détecter, sauf quand tu gerbes. Cette
drogue te procure une sorte de calme, de sérénité. Pour
quelqu'un d'hyperémotif comme Guillaume, ça te rend
moins vulnérable.

— Guillaume s'est retrouvé en pension, ce qui lui a
valu une dépression nerveuse. Mais il n'y est resté qu'un
mois et demi. Au total, il a été mis à la porte d'une bonne
demi-douzaine de collèges et lycées, la plupart du temps
pour insolence. Avais-tu l'impression que, d'une certaine
manière, il cherchait à t'imiter, qu'il était en compétition
avec toi, dans une sorte de surenchère ?

— Franchement, je n'ai jamais eu cette impression.
Peut-être était-ce le cas inconsciemment. Je n'en sais
rien. Je crois surtout qu'il était mal dans sa peau. Je crois
aussi qu'il a pris au premier degré ce que la presse racontait sur moi, sur mon enfance difficile, mon passé de
mauvais garçon violent. C'est vrai que j'ai fait pas mal
de conneries, que je n'étais pas le dernier pour la

bagarre, mais surtout j'étais libre. J'ai souvent dit à Guillaume : « Ce qu'écrivent les journaux sur ton père, ce n'est pas la vraie vie. Ne les crois pas, eux, crois ce que moi je te dis ! Relativise ce que tu lis. » Mais c'était difficile de lui faire entendre raison. J'ai essayé de lui expliquer, par exemple, à quel point j'étais fier de mon père, de son métier, de ses talents, malgré tous ses défauts. Mais c'était plus facile pour moi que pour Guillaume. Longtemps, on lui a parlé à travers moi, en fonction de moi. J'imagine à quel point cela peut être insupportable à vivre. Moi, je n'ai pas eu ce problème-là avec le Dédé...

— Guillaume dit, dans son livre, qu'à la maison Elisabeth et toi lui laissiez une grande liberté. Il en profitait, et parfois même il en abusait. Et il ajoute, en parlant de tes coups de gueule : « Quand j'en prenais une, c'était violent. Mais c'était surtout ses yeux ! J'avais l'impression qu'il pouvait me tuer... »

— Oui, c'est vrai, je n'ai pas honte de le dire. Il m'est arrivé de lever la main sur lui, de me mettre dans des colères homériques. Mais il faut voir dans quel état il se mettait. Quand il avait pris des trucs, il devenait incontrôlable. Mais il ne faut pas exagérer : je ne lui cavalais pas après pour le cogner. Dès qu'il était sous l'emprise de la drogue, il cherchait à provoquer le clash. Qu'est-ce que tu fais dans ces cas-là ? Comment réagis-tu quand ton propre fils te menace d'un couteau ? Tu ne sais pas. Je ne sais pas. Personne ne sait ! Dans ces moments-là, ça se passait comme dans toutes les familles : sa mère avait tellement peur que je m'emporte qu'elle prenait sa défense. Au point que, un jour, étant incapable de réagir et de trouver une quelconque solution, j'ai préféré partir. Peut-être par manque de courage ou par lâcheté. Mais il est arrivé un moment où je ne supportais plus ce climat de violence, cette confrontation permanente. J'ai considéré, à tort ou à raison, que je dérangeais plus que je n'arrangeais les choses. Pour Guillaume et pour moi, il valait mieux que je prenne du champ. Du coup, c'est Elisabeth qui s'est retrouvée seule en première ligne face à Guillaume. Je le sais, je l'assume...

— Tu m'as expliqué que tu étais passé directement de l'enfance à l'âge adulte. Crois-tu, comme il semble le dire dans son livre, que Guillaume vit à retardement sa crise d'adolescence, qu'il est toujours en rébellion contre toi ?

— C'est possible. La seule chose que j'espère, c'est que ce livre lui a fait du bien. Il a dit tout ce qu'il avait sur le cœur et je m'en félicite. Je sais ce qu'il a enduré, je sais quelle est ma part de responsabilité dans tous les problèmes qu'il a rencontrés depuis ses plus jeunes années. Mais je peux affirmer une chose, qu'il entendra ou qu'il n'entendra pas : je l'aime. C'est mon fils et je l'aime. C'est d'ailleurs pour cela que je n'ai pas voulu lire son livre. Je n'en connais que ce que mes amis m'en ont dit.

— Savais-tu qu'à douze ans il lui arrivait de faire le mur, la nuit, et de se balader tout seul en plein Paris ?

— Non, je ne le savais pas. Mais si je l'avais su, je crois que je ne l'aurais pas engueulé pour ça. C'est une forme d'apprentissage de la vie comme une autre. Moi-même, il m'est arrivé de passer des nuits blanches dans les rues de Châteauroux quand j'étais gosse. Je n'en suis pas mort, lui non plus.

— L'emmenais-tu avec toi, parfois, sur les tournages ?

— Oui, je te l'ai dit, pour le *1900* de Bertolucci notamment. Mais le problème n'est pas là. Guillaume a toujours été un garçon extrêmement doué. Il a tous les talents. Je l'admirais quand il jouait de la musique. Au piano, il avait un toucher inouï. C'était et c'est toujours aujourd'hui un interprète hors pair, avec une sensibilité rare. Un vrai musicien ! Pour le film d'Alain Corneau, *Tous les matins du monde*, il a appris la viole de gambe avec Jordi Saval : il a joué lui-même le morceau de Marin Marais, *La Rêveuse*. Ce n'est pas rien, la viole de gambe... En fait, il sait tout faire. Les chansons et les textes qu'il écrit sont magnifiques. C'est pour cela que je lui ai dit : « Ton livre, tu aurais dû le faire tout seul. » Il avait le talent pour faire un livre magnifique...

— Le récit de ses galères n'en est pas moins terrible. Il raconte, par exemple, qu'il a dû se prostituer pour payer sa came...

— Ce qu'il raconte n'appartient qu'à lui. Je sais ce que j'aurais dû faire en tant que père et que je n'ai pas fait. Je sais mes absences quand, au contraire, j'aurais dû être à ses côtés. Je m'en excuse auprès de lui, même s'il n'est pas le seul au monde à avoir dû se débrouiller avec un père absent. Avec son tempérament d'écorché vif, la drogue n'a rien arrangé. Elle l'a amené à faire des choses insensées. Jusqu'à la...

— ... prison. Premier séjour derrière les barreaux à seize ans !

— Déjà, envoyer un môme de seize ans en prison, c'est con. A fortiori pour des broutilles, une histoire de pistolet à grenailles. La came l'a conduit plus tard à la prison. Mais il a fait aussi plusieurs tentatives de suicide. A une période de sa vie, il s'automutilait. Tu te rends compte ? Tout ça, évidemment, à cause de la drogue. Mais ça se soigne. Moi, par exemple, j'ai longtemps été très complexé, mais il arrive un âge où l'on parvient à vivre avec ses complexes, ses angoisses. A un moment, ça finit par passer. Chez lui, ça a duré.

— Il y a un point commun entre Guillaume et toi dont on n'a pas encore parlé. Quand elle s'est retrouvée

enceinte, ta mère a pensé à avorter. Du coup, tu as longtemps considéré que tu n'étais pas un enfant désiré. Est-
ce que, au fond, Guillaume ne s'est pas dit la même
chose ? Mon père était trop jeune pour être père, il ne
me désirait pas...

— Bonne question ! Mais ça, vois-tu, ça relève d'une
bonne thérapie. Comment veux-tu que je réponde ? Oui,
j'ai longtemps cru que je n'étais pas un enfant désiré.
Est-ce que Guillaume a éprouvé le même sentiment ? Je
n'en sais rien. Ce dont j'ai la certitude, en revanche, c'est
qu'il est un enfant de l'amour, qu'il était désiré par sa
mère et par son père. Aujourd'hui, la seule thérapie qui
vaille, c'est de le voir le moins souvent possible.

— Guillaume dit aussi que sa mère a moins souffert
de tes infidélités que de tes mensonges...

— Je n'ai jamais menti à Elisabeth. Quand Karine est
tombée enceinte, je le lui ai dit tout de suite. Je lui ai
même dit que je voulais cet enfant. Elisabeth, elle, a
essayé de me convaincre que Karine m'avait fait un
enfant dans le dos. Or, j'avais déjà revendiqué la pater-
nité de cet enfant avant même qu'elle accouche. Je lui ai
pris un appartement, j'ai fait en sorte, devant notaire, de
lui verser une pension... Je n'ai pas triché avec Elisabeth.

— Karine Sylla était une mannequin franco-améri-
caine, fille de diplomate sénégalais. Comment as-tu fait
sa connaissance ?

— A New York. Elle était là-bas avec une copine à
elle, Gina, un ancien mannequin. C'était juste après
Cyrano de Bergerac. Je tournais *Green Card* de Peter Weir,
avec Andie Mac Dowell. J'ai fait leur connaissance à
l'hôtel. Je les ai hébergées toutes les deux dans mon
grand appartement parce qu'elles ne savaient pas où dormir. En tout bien tout honneur ! Avec Karine, nous ne
nous sommes aimés qu'après, à notre retour à Paris.

— Le problème, c'est qu'Elisabeth a découvert son existence en lisant la presse...

— Mais pas du tout ! Je lui en avais déjà parlé avant que *Voici* ne publie des photos volées. A l'époque, je tournais *Uranus* de Claude Berri, d'après le roman de Marcel Aymé. J'ai dit à Elisabeth, tout à fait loyalement : « Voilà, je suis amoureux de quelqu'un que j'ai rencontré, il y a quelques semaines, à New York. » Elle a eu de la peine, mais elle s'est dit que ce n'était qu'une passade. Seulement voilà, mes sentiments ne sont pas passés et j'ai fait cet enfant avec Karine au Costa Rica, sur le tournage de *1492* de Ridley Scott. Je m'en souviens précisément parce que j'avais emmené Guillaume avec moi sur le tournage.

— Ce n'est pas un peu bizarre comme idée d'emmener Karine et Guillaume, ensemble, au Costa Rica ?

— Guillaume était englué dans ses problèmes de drogue. Je pensais que quelques semaines au Costa Rica lui feraient le plus grand bien. Je croyais que c'était un bon moyen de l'aider à décrocher de la cocaïne... Et puis voilà, le tournage s'est terminé et Roxane est née le jour même de mon départ, le 28 janvier 1992.

— Comment Guillaume et Julie ont-ils réagi à la naissance de leur demi-sœur ?

— Julie n'a jamais eu une sympathie folle pour Karine, c'est normal. Elle est forcément du côté de sa mère. En revanche, elle adore Roxane... Julie a toujours eu une sorte de rapport distancié avec les événements qui ont jalonné notre histoire familiale. Il fut un temps, par exemple, où son frère lui pompait l'air, vraiment. J'ai admiré la manière dont Julie s'enfermait alors dans sa chambre pour se plonger dans ses livres de philosophie. Heureusement qu'elle a su réagir ainsi. Julie est une belle personne, au-dehors et au-dedans. Elle est intelligente, elle a un humour formidable, elle fait toujours preuve de recul sur les choses et les gens. Julie, c'est une merveille ! J'ai vraiment beaucoup de chance d'avoir une fille comme elle.

— Quelle fut ta propre réaction lorsque la presse *people*, *Voici* notamment, s'est emparée de ton histoire avec Karine ?

— J'ai très mal réagi, évidemment. Moi, je n'avais pas besoin d'avouer que j'avais eu un troisième enfant. Cette enfant, je l'ai reconnue avant même sa naissance, je lui ai donné un appartement, j'ai décidé de verser une pension à sa mère pour qu'elle n'ait pas besoin de travailler. Karine était hésitante d'ailleurs. Il y avait chez elle ce complexe du métissage. Je lui ai expliqué que le regard des gens avait changé. Paris 1993, ce n'était pas Châteauroux 1960... Mais surtout, je crois que les gens qui font ces journaux ne se rendent pas compte de la violence qu'engendre ce type de publications dans les familles concernées. Même si Elisabeth et les enfants étaient déjà au courant, c'est terrible de découvrir que ces histoires intimes sont sur la place publique. C'est une chose de vivre avec une douleur, quelle qu'elle soit ; c'en est une autre de la vivre en sachant que tout le monde est au courant. Et puis, la manière dont ces histoires sont racontées est abjecte. Ils se délectent du mal qu'ils peuvent faire, ils en rajoutent, exagèrent, forcent le trait, quitte à raconter n'importe quoi. Du moment que ça fait vendre...

— Guillaume dit qu'avec Roxane tu t'es découvert une âme de père. Et il ajoute : « Là, j'ai pris une claque. Je me suis dit : ce n'est pas possible. Elle, elle a droit à ça ! » Comprends-tu ce sentiment ?

— Evidemment, je comprends. Mais, encore une fois, on n'est pas père de la même manière à vingt-deux ans et à quarante-quatre. On n'est pas père non plus de la même manière au début des années 70 et dans les années 90. Evidemment, il a raison. Evidemment, je ne me comporte pas avec Roxane comme j'ai pu me comporter avec lui ou avec Julie. Regarde par exemple : je suis le parrain d'Antoine Pialat, le fils de Maurice. Je le considère vraiment comme mon fils. Mais s'il avait été mon filleul il y a trente ans, les choses ne se seraient sans doute pas passées ainsi. Ce n'est pas de la jalousie de la part de Guillaume, c'est la vérité. C'est vrai que je donne à Roxane ce que je n'ai peut-être pas su offrir à Guillaume et à Julie. Toutes les familles recomposées vivent ce que ressent Guillaume. On fait croire que le divorce et la séparation sont un long fleuve tranquille, que la famille recomposée est la quintessence même de la modernité et de la normalité. Mais c'est difficile à vivre pour tout le monde, surtout pour les enfants.

— Dans son livre toujours, Guillaume raconte même qu'à chaque émotion forte il s'automutilait. Par exemple, le jour où il a demandé Elise en mariage et qu'elle ne lui a pas dit « oui » tout de suite, il a foncé à la salle de bains pour se taillader le corps au point de perdre connaissance. Etais-tu au courant de tout cela ?

— Bien sûr que j'étais au courant. Guillaume n'était pas violent qu'avec moi, il était aussi violent avec lui-même. Quand il était en crise, sa mère était complètement bouleversée, paniquée, et je la comprends. C'est une souffrance indescriptible pour une mère qui a mis au monde un enfant de voir la chair de sa chair en pleine perdition. C'est très violent !

— Avec toi aussi, les rapports étaient parfois violents. A seize ans par exemple, quand il fait un premier séjour de six semaines en prison pour un vol, tu es allé le voir au commissariat et je crois que l'entrevue ne s'est pas très bien passée, n'est-ce pas ?

— C'est vrai, je l'ai vu au commissariat et la rencontre a été assez violente. Le ton est monté, sans doute à cause de moi. J'étais malheureux de le voir là. J'éprouvais à la fois un sentiment de culpabilité et de colère. Culpabilité parce que, lorsque ton fils fait des conneries, tu y es forcément pour quelque chose. Colère parce que, une fois de plus, il n'épargnait pas sa mère. Et donc voilà... Je vais le voir au commissariat pour lui dire que je suis avec lui, qu'il peut compter sur moi, que je l'aime, et au final, on s'engueule. D'une certaine manière, cette scène est assez symbolique des relations que l'on entretenait. Guillaume a toujours été assez violent avec moi, physiquement et verbalement. Mais j'avais appris à encaisser. Je savais que, sous l'emprise de substances chimiques, il était capable de dire et de faire n'importe quoi. Même si je suis assez sanguin, ça ne servait à rien de répondre par les mots ou par la force.

— Sur le casier judiciaire de Guillaume, il est écrit : consommation, importation et cession de stupéfiants, agressions, vol avec violence, rébellion, insultes à agents, bagarres dans des lieux publics... Tout bascule vers l'âge de vingt ans quand, après avoir tâté de la cocaïne et de l'héroïne, il se met au crack. Au retour d'un voyage aux Pays-Bas, il se fait prendre en flagrant délit à Vaucresson (Yvelines) avec, sur lui, plus qu'il n'en fallait pour sa propre consommation. Il dealait ?

— Non, non, je ne peux pas te laisser dire ça ! Guillaume n'a jamais été un dealer ou un revendeur. C'est ce qu'a prétendu la juge d'application des peines de Versailles, mais ce n'est pas vrai. Un dealer, c'est quelqu'un qui vit du trafic de drogue et qui, la plupart du temps, n'en consomme pas lui-même. Guillaume n'était pas un dealer, mais je crois qu'il a payé cher parce qu'il était le fils de quelqu'un de connu... Franchement, on ne colle pas trois ans de prison à un jeune homme de son âge parce qu'il a trois grammes d'héroïne sur lui. C'est disproportionné.

— Tu as essayé de le sortir de là ?

— J'ai tout essayé, je l'avoue. Je ne réclamais pas un traitement de faveur pour Guillaume parce qu'il était le fils de Depardieu. Je voulais qu'on soit juste avec lui. Il ne méritait pas trois ans de prison. J'ai croisé François Mitterrand dans un Concorde pour New York. Je lui ai dit : « Président, je vais convoquer la presse, je vais déchirer mon passeport et me barrer de ce pays. Mon fils est extrêmement fragile, on ne peut pas le laisser passer trois ans en prison. Il y a des gens qui font des choses bien plus graves et qui écopent de moins que ça. C'est injuste... » Il m'a répondu : « Ne faites pas ça... La seule chose que vous puissiez faire, c'est d'obtenir qu'il change de juge. Voyez Balladur, demandez-lui de transférer votre fils vers un autre JAP... »

— Et tu l'as fait ? Tu as appelé le Premier ministre Edouard Balladur ?

— Oui, et il s'est conduit admirablement bien. Il ne pouvait pas sortir Guillaume de prison, mais il est convenu qu'il y avait contre lui une forme d'acharnement et il a accepté qu'on le change de JAP. Guillaume était à la prison de Bois-d'Arcy. Moi, je tournais *Germinal* de Claude Berri. Quand j'allais le voir à la maison d'arrêt, j'entendais des choses terribles : « Attends, Depardieu, on va l'enculer ton fils, tu vas voir ! » Guillaume s'est défendu avec dignité, il a essayé de se faire respecter, et ça lui a d'ailleurs valu pas mal de jours de mitard. J'ai parlé avec le directeur de la prison, mais rien n'y a fait. J'avoue qu'aujourd'hui je n'ai plus confiance dans la justice ni dans la police. En ce moment, je tourne *36* d'Olivier Marchal. J'ai fait pas mal de films sur la police et j'ai constaté que la peur avait changé de camp. Avant, les voyous avaient peur ; aujourd'hui, ce sont les flics qui ont peur. Du coup, parfois, leurs réactions sont disproportionnées. Avec Guillaume, c'était disproportionné !

— Guillaume est finalement resté dix-huit mois en prison. Quand il est sorti, il s'est tout de suite remis au travail sur le film de Pierre Salvadori, *Les Apprentis*. Mais il a continué à se droguer et il a même fait une tentative de suicide en se jetant du troisième étage...

— La prison n'a rien arrangé. Guillaume était brisé, persuadé d'avoir été victime d'une injustice. Il m'en voulait encore plus en sortant de prison qu'avant d'y entrer. Il avait le sentiment que le juge l'avait traité durement parce qu'il portait le nom de Depardieu. En prison, même chose : on lui a fait payer le fait d'être mon fils. Sur le film de Pierre Salvadori, Guillaume marchait au crack. Je suis allé voir Pierre pour qu'il arrête Guillaume une semaine. Sinon, on courait au drame... Pierre a accepté, Guillaume est entré dans cette clinique psychiatrique où il a effectivement sauté du troisième étage. Il a fini le tournage avec un plâtre...

— Et il a obtenu un césar du meilleur espoir...

— C'est tout Guillaume, ça ! Il est vraiment doué. Malgré son état, il a fait un travail remarquable sur ce film. J'en ai connu des acteurs de grand talent qui se droguaient, j'en ai même vu qui ont littéralement sombré. D'autres s'en sont sortis et ont fait des carrières exceptionnelles. Guillaume, lui, a des problèmes existentiels plus profonds qui viennent de très loin, qui remontent sans doute à ses traumatismes d'enfant.

— Le drame que tu pressentais sur le tournage des *Apprentis* avait déjà eu lieu en 1995, lorsque Guillaume a eu son accident de moto...

— Un accident terrible avec sa XT 600. Il était cassé de partout. Il souffrait le martyre, c'était horrible. Il était tellement défoncé que les médecins ne pouvaient pas l'anesthésier. Il lui a fallu un courage hors du commun pour résister à la douleur. Je me souviens que, la même semaine, sous l'effet de la dope, le fils d'un agent artistique que je connaissais bien s'était défenestré. La drogue est une machine infernale. Quand elle est lancée, tu ne peux plus l'arrêter. Tu n'es plus maître de rien...

— Guillaume a des circonstances atténuantes. Ses problèmes de santé, l'amputation de sa jambe en juin 2003, son séjour au centre de rééducation de Valenton, ses souffrances physiques et psychologiques, la séparation d'avec sa femme... Toutes les épreuves qu'il traverse devraient te donner l'envie de te rapprocher de lui, non ?

— Sans doute. Encore que je ne me sois éloigné de Guillaume que lorsqu'il était sous l'emprise de la drogue. Moi-même, lorsque je bois trop, je préfère m'isoler. Je reste seul, je ne veux voir personne. D'ailleurs, dans ces moments-là, je n'intéresse personne. L'alcool me tue, je ne suis plus moi-même et je refuse d'infliger ça à mes proches. Guillaume, c'est pareil : je préfère le voir lorsqu'il est en pleine possession de ses moyens. Shooté, il n'est plus lui-même. Il m'insulte, me menace. La dernière fois qu'on s'est vus, il m'a hurlé dessus : « Qui es-tu pour me donner des conseils alors que tu n'es même pas capable de divorcer... » J'en suis arrivé à la conclusion que la meilleure thérapie consiste à espacer nos rencontres.

— Guillaume, lui, ne fait pas la même analyse à propos de cette prise de distance. Il dit : « Je pense que mon père a de gros problèmes. Et quand tu as de gros problèmes, tu n'as envie de voir personne [...]. De toute façon, mon père a un caractère de cochon, il est rancunier. » Il ajoute même : « Il n'en peut plus de sa vie. Il est malheureux, et moi, je ne peux rien pour lui... »

— Mais pas du tout. Tout va très bien. Mon divorce me mine, c'est sans doute vrai. Mais à part ça, tout va très bien. Je suis vivant et bien vivant, je te l'ai dit ! J'ai sans doute un caractère de cochon, mais je ne suis pas rancunier. Les gens qui ne se comportent pas bien avec moi s'excluent d'eux-mêmes. Mais je ne suis pas malheureux. Tout va bien, vraiment. La seule chose que je ne suis pas encore parvenu à régler, c'est l'alcool. Je bois trop, je le sais, ça me fait suffisamment chier. Dans ces moments-là, je suis comme une bête. Je m'isole, je me terre chez moi et j'attends que ça passe... Après vingt-huit ans d'analyse, autant te dire que je suis parfaitement conscient de ces problèmes. C'est ma nature, je ne peux pas en changer, juste essayer de comprendre pourquoi je suis comme ça. C'est déjà pas mal... Je n'ai qu'une chose à souhaiter et à dire à Guillaume : « Tu as trente-deux ans, le moment est venu : deviens ce que tu es ! »

— Je cite encore Guillaume : « Mon père, je l'aime et je le déteste pour les mêmes raisons. Pour son impuissance. Pour sa façon de fuir l'existence [...]. Je l'aime dans son désarroi et je le déteste aussi dans son désarroi quand ça fait plus de mal aux autres qu'à lui. » Au fond, vous vous ressemblez tous les deux...

— Peut-être. En tout cas, je suis certain qu'il y a de l'amour dans tout ça. Beaucoup de malentendus aussi, mais de l'amour avant tout. Tous les hommes doivent apprendre à grandir avec leurs souvenirs, leur passé, leurs souffrances dites et non dites. Guillaume parle de mon impuissance, de mon désarroi... En fait, dès que Roxane est née, j'aurais dû divorcer. Une séparation nette et précise aurait sans doute permis d'éclaircir pas mal de choses. Mais ce n'est pas aussi facile qu'il le croit. On ne divorce pas d'un claquement de doigts. Mes parents non plus ne pouvaient pas divorcer parce que, malgré tout ce qu'ils avaient vécu, le bon et le moins bon, ils s'aimaient. La preuve : quand ma mère est décédée, mon père est parti deux mois plus tard. Comme si, pour lui, il était inconcevable de vivre sans elle... Ça fait près de douze ans qu'Elisabeth et moi essayons de divorcer. Au-delà de mes histoires sentimentales, de mes problèmes personnels et de notre relation de couple, la défonce de Guillaume a beaucoup pesé dans la balance. Elisabeth prenait tout ça de plein fouet. Moi, à l'inverse, j'avais une attitude plus distanciée. Je considérais, à tort ou à raison, qu'il ne servait à rien de s'alarmer, qu'il fallait juste le soigner...

— La différence entre elle et toi, c'est qu'Elisabeth vivait ça au quotidien, alors que toi, tu avais préféré prendre du champ...

— Oui, c'est vrai. J'ai préféré m'éclipser quand la situation est devenue ingérable. Tu peux toujours dire que c'était par lâcheté. Moi, je sais que j'ai fait ça pour protéger ma famille, pour protéger Guillaume aussi. Prendre le large en attendant que les choses s'arrangent. Pour autant, j'assume qu'on dise aujourd'hui que c'était par lâcheté. C'est sans doute un peu vrai aussi...

— Je sais que tes relations avec Elisabeth se limitent à des rendez-vous entre avocats. Je sais aussi que tu rencontres rarement Guillaume. Mais quand tu vois les problèmes de santé de Guillaume, ses soucis d'argent, ça ne te donne pas envie de lui tendre la main, de l'aider ?

— Evidemment que si. Mais il sait que je suis là s'il a besoin de moi. Regarde : j'entretiens de très bonnes relations avec Julie que j'admire pour son intelligence, sa gaieté, sa générosité. Guillaume sait que je l'admire lui aussi. Il sait qu'il peut compter sur moi. Simplement, je ne veux plus le voir quand il n'est pas dans un état normal. Je voudrais que Guillaume apprenne à se protéger. Il arrive à un âge où il faut apprendre à être réaliste, à être moins jusqu'au-boutiste. Cela ne signifie pas nécessairement être dans le renoncement. Au contraire... Guillaume écrit des choses formidables, il fait des chansons magnifiques. Son état ne doit pas l'empêcher de faire de la musique, du cinéma, d'écrire. Et puis, on ne peut pas éternellement vivre sur des cendres mal éteintes...

— Tu ne vois plus Elisabeth non plus ?

— Si, mais pour le travail. Par exemple, j'ai aidé au financement d'Emergence, l'école de cinéma créée par Elisabeth à Aix-en-Provence, en faisant venir des sponsors (Canal + entre autres...) et en obtenant le parrainage de Jack Lang ; j'ai produit *Aime ton père* pour Guillaume ; j'ai monté des pièces dans lesquelles jouait Elisabeth... Je suis très fier de pouvoir collaborer encore avec Elisabeth, car elle fourmille de bonnes idées.

— Combien de temps va encore durer votre procédure de divorce ?

— Je ne sais pas. Normalement, dans quelques semaines, tout devrait être réglé. Du moins, je l'espère. On ne va tout de même pas compter les couteaux et les fourchettes ?

— C'est un peu glauque tout ça, non ?

— Dérisoire, sans doute. Moi, je suis vivant et libre. Et ça, malheureusement, on ne peut pas me le prendre. Contrairement à ce que certains tentent de faire croire, l'argent n'est pas ma priorité. Nous étions mariés sous le régime de la communauté, je lui dois donc légalement la moitié de ce que je possède. Je lui laisserai donc la moitié de mes biens, c'est-à-dire la maison de Bougival, les appartements dans Paris, la maison de Trouville et la moitié de ma société de production – mon outil de travail –, la moitié de tout ! A condition qu'on s'entende sur la valeur des choses. (*Rires.*) Les avocats d'Elisabeth, par exemple, surévaluent ma société de production, la D.D. Productions, qu'ils estiment à une somme exorbitante.

— Et l'hôtel particulier de la rue du Cherche-Midi avec son théâtre ?

— Cet hôtel particulier appartient à ma maison de production, la D.D. Productions. Il deviendra mon siège social lorsque le divorce aura été prononcé.

— Le château de Tigné et les vignes en Anjou ?

— Le château de Tigné et ses vignes font partie du foncier de ma société de production. Quant à la maison de Jean Carmet, je l'ai acquise en mémoire de Jeannot, et pour en faire profiter mes amis, ma famille, les amis de Jean. Bref, « ma famille » !

3

BERTRAND, FRANÇOIS, MAURICE
ET LES AUTRES...

« Le monde ne ressemblera plus jamais
à l'idée qu'on s'en fait depuis que le
cinéma existe. »

Federico FELLINI.

Tanger, le 22 mai 2004. Hôtel Le Mirage. Depuis une
quinzaine de jours, Gérard Depardieu tourne le nouveau film
d'André Téchiné, Les temps qui changent, *avec Catherine*
Deneuve et Gilbert Melki. Aujourd'hui, samedi, jour de
repos, au bord de la piscine, avec quelques-uns de ses amis
proches. Gérard est visiblement très heureux de travailler de
nouveau avec André Téchiné et de retrouver Catherine
Deneuve. Ça se voit, ça se sent, il est reposé, détendu et de
très bonne humeur...

Laurent NEUMANN — Je voudrais qu'on revienne aux
débuts de ta carrière. Nous sommes à la fin des
années 60. Parallèlement aux cours de théâtre chez Jean-
Laurent Cochet, tu as fait une première apparition à
l'écran dans un court-métrage de Roger Leenhardt, *Le*
Beatnik et le Minet, en 1965. Puis survient la rencontre,

ô combien importante pour la suite de ta carrière, avec Claude Régy...

Gérard DEPARDIEU — Rencontre fondamentale, même. Avant de le rencontrer, j'ai participé à plusieurs pièces de théâtre qui m'ont aguerri. Des pièces mises en scène par Jean-Laurent Cochet, comme *Boudu sauvé des Eaux* au théâtre des Capucines, d'après le film de Jean Renoir, ou comme *Les Garçons de la bande*, une pièce sur l'homosexualité que Cochet avait adaptée en français. J'ai tourné quelques téléfilms, comme je te l'ai dit, *Rendez-vous à Baden-Berg*, notamment, de Jean-Michel Meurisse en 1966 avec Rufus, Charles Moulin et Martine Redon, la compagne d'Yves Boisset. J'ai enchaîné plusieurs petits rôles dans quelques dramatiques pour la télévision comme *Le Cyborg*, de Jacques Pierre en 1967, et *Tango*, de Jean Kerchbron, la même année. Je faisais aussi des improvisations au Café de la Gare et quelques numéros dans un cabaret de la rue de la Gaîté, près de Montparnasse. C'est l'année suivante, en 1969, que j'ai reçu la visite de Claude Régy...

— Claude Régy, professeur d'art dramatique, grand metteur en scène et passionné par les dramaturges anglais comme Tom Stoppard et Harold Pinter...

— Claude cherchait un acteur capable d'interpréter un jeune truand dans *Saved*, une pièce d'Edward Bond qu'il montait au Théâtre national populaire avec Hughes Quester. Il m'a engagé et on a travaillé près de trois ans ensemble sur des textes de Nathalie Sarraute (*Isma*, 1973), de Manuel Puig (*Isaac*, 1973), de Peter Handke (*La Chevauchée sur le lac de Constance*, 1974), et, si mes souvenirs sont bons, dans une pièce de David Storey, *Home*, adaptée par Marguerite Duras, avec notamment Michael Lonsdale et Dominique Blanchar (1973)... C'est lui qui a achevé de me former. A l'Espace Cardin à Paris où il créait ses mises en scène, il m'a fait rencontrer

Jeanne Moreau, Samy Frey, Delphine Seyrig, Michael Lonsdale... Avec eux, sur scène, nous étions prêts à faire des choses sauvages, inattendues, explosives, des choses qui n'ont pas besoin d'être justifiées ou expliquées, des choses qui s'imposent d'elles-mêmes. Le théâtre, c'est un peu comme une bagarre de rue : tu dois tout faire pour imposer un auteur, une mise en scène, un personnage... Claude Régy avait fait de nous des combattants !

— C'est là qu'un soir de 1972 Marguerite Duras t'a vu à l'œuvre pour la première fois...

— Je crois qu'on jouait *Saved*, ce soir-là. Elle était sur le point d'achever le casting de son film, *Nathalie Granger*, avec Jeanne Moreau et Lucia Bose. Elle cherchait encore un acteur pour jouer le rôle d'un vendeur de machines à laver. A la fin de la représentation, Claude Régy m'a rejoint dans ma loge : « Gérard, Marguerite Duras veut te voir demain chez elle... » Moi, j'avais entendu parler d'elle, mais je n'avais lu aucun de ses livres. Le lendemain, je prends ma moto et je me pointe chez elle, au deuxième étage d'un immeuble de la rue Saint-Benoît, à Saint-Germain-des-Prés. A l'époque, j'étais une sorte de sauvage aux cheveux longs, avec une peau de bête sur le dos. Le contraste avec Marguerite était saisissant. Bref, je sonne, un petit bout de femme ouvre la porte — elle m'arrivait à peine à l'épaule —, me fait entrer dans son grand appartement. Je lui explique que Claude Régy m'a demandé de passer la voir et, tout à coup, elle recule jusqu'au fond de l'appartement, s'arrête dos au mur et me lance : « Avancez vers moi. » Un peu surpris, je m'exécute néanmoins. J'avance vers elle, doucement, jusqu'à me retrouver à vingt centimètres d'elle. Je la dominais de toute ma hauteur, et là, elle me dit : « Stop, ça va, vous me faites peur, c'est bien, c'est ce qu'il faut... J'avais proposé ce rôle à François Périer, mais je pense que vous devriez le faire à sa place... » Et elle se met à me raconter le personnage : « C'est un homme qui voyage tout le temps, une sorte de VRP dont la chemise sèche dans la voiture. Il vend des machines à laver qui s'appellent Machina Tambour 007. Il débarque chez une femme, sa fille joue du piano et il va devoir lui vendre absolument cette Machina Tambour 007. » Voilà ce que fut, au mot près, ma première rencontre avec Duras... Je n'avais pas de script, ni de répliques à apprendre. J'ai dû travailler entièrement à l'instinct.

— *Nathalie Granger* sort en 1973. Par la suite, il y aura, toujours avec Marguerite Duras, *La Femme du Gange* (1974), *Baxter Vera Baxter* (1977), et *Le Camion* (1977). Quelle était la nature de vos relations ?

— Des relations très fortes. A priori, on se dit : Duras et Depardieu, ce n'est pas le même monde. Surtout aux débuts des années 70. D'un côté, l'auteur, la romancière, la réalisatrice, l'intellectuelle, figure emblématique de Saint-Germain-des-Prés ; de l'autre, le sauvage inculte. Eh bien, pas du tout. Elle m'a aussitôt intégré à son univers. Quand j'ai fait sa connaissance, j'ignorais tout d'elle, la guerre, la Résistance, Robert Antelme, sa relation avec François Mitterrand... Peut-être, d'ailleurs, que mon ignorance — à moins que ce ne soit mon inconscience — a facilité nos relations. Les gens la prenaient pour une intello élitiste parce qu'elle avait de longs silences énigmatiques. Mais, moi, elle ne m'a jamais intimidé. Au contraire. J'ai toujours pensé que Margotton — c'est le surnom que je lui avais donné — était une terrienne, une femme simple, authentique, attachée aux choses vraies. Je lui ai toujours parlé librement, y compris de littérature... Un jour, je l'avais surprise chez elle. Elle était dans son bureau, elle portait son habituelle jupe pied-de-poule et elle était en train de réécrire l'une de ses pièces.

« Pourquoi réécris-tu cette pièce ? fais-je, en me mêlant, comme d'habitude, de ce qui ne me regarde pas.

— Parce que je n'aime pas la pièce.

— Je suis sûr qu'elle est très bien ta pièce. Mais moi, parmi tous tes livres, celui que je trouve très beau, c'est *Les Petits Chevaux de Tarquinia*.

— Eh bien moi, je le déteste, ce livre !

— Pourquoi le détestes-tu ? C'est très beau ces femmes qui papotent, pendant que les hommes jouent aux boules et boivent le pastis. J'aime bien, moi, l'inertie de ces femmes.

— Ah, tu as vu ça comme ça, toi ?

— Oui, c'est écrit dans le livre, c'est écrit comme je l'ai lu...

— Ah bon ?

— Oui, mais le plus beau de tous, pour moi, c'est *Le Ravissement de Lol V. Stein*... Ces personnages qui tentent d'échapper à la solitude pour espérer donner un sens à leur vie grâce à l'amour absolu, c'est magnifique... »

Je n'avais aucune culture philosophique, littéraire ou politique. Mais je m'étais mis à lire ses livres, je m'intéressais à elle, à son travail. Nous n'étions pas toujours d'accord, mais l'important, c'est qu'on s'intéressait mutuellement. Lors de nos discussions, nous abordions rarement son engagement en faveur du communisme – j'ignorais d'ailleurs qu'elle l'avait renié. Mais cela ne m'empêchait pas de parler de son travail. Je crois qu'elle aimait bien ma naïveté et ma sincérité. Je n'avais pas, en face de moi, un monument de la littérature française. Juste une femme avec qui je m'entendais bien. Et puis nous avions, je crois, la même sensibilité poétique. Elle savait que je parlais avec elle sans arrière-pensée. Je me souviens d'une de nos conversations à propos de son

film, *Le Camion*, où il était question d'une femme amné-
sique retrouvée morte dans la forêt. Elle était fascinée
parce que je lui avais raconté qu'une tante de mon père,
la tante Berthe, avait eu exactement le même destin que
son personnage. Elle était sortie de sa maison de retraite,
elle aussi ; elle avait été incapable de retrouver son chemin, et l'on avait découvert son cadavre, longtemps
après, littéralement dévoré par des animaux de la forêt.
Quand je lui ai raconté cette histoire, Marguerite n'en
revenait pas...

— Oui, enfin, vous n'aviez pas que ce genre de
conversation. Si je ne dis pas de bêtises, elle te prenait
un peu pour son larbin...
— Larbin, n'exagérons rien. Mais c'est vrai qu'elle
m'appelait pour réparer ses toilettes bouchées ou pour
repeindre sa chambre. « Dis, Gérard, tu peux passer à la
maison. » Moi, je débarquais aussi sec. Elle m'attendait
sur le palier avec un pinceau et un pot de peinture. Là,
j'avais compris, pas besoin de me faire un dessin : je
retroussais mes manches, et en avant pour la première
couche de peinture. Mais ça ne me dérangeait pas. Au
contraire. Pendant que je peignais, on discutait de tout
et de rien. Je me souviens, par exemple, qu'elle lisait
régulièrement *L'Indicateur Bertrand*. Elle voulait même
que j'achète des chambres de bonne avec elle. « Tu sais,
me disait-elle, il y a des affaires à faire. Il y a tant de
réfugiés politiques qui n'ont pas de foyer... On achète
des chambres et puis on les loue... »

— Entre vous, il y avait une sorte de relation mère-
fils ?
— Il y avait un peu de ça, oui. D'autant que je la
trouvais un peu dure avec son propre fils. Avec moi, en
revanche, elle a toujours été très gentille, très douce, très
protectrice même...

— Avant de jouer avec Marguerite Duras, tu avais déjà tourné avec Michel Audiard (*Le Cri du cormoran le soir au-dessus des jonques*, 1971), Jacques Deray (*Un peu de soleil dans l'eau froide*, 1971), Pierre Tchernia (*Le Viager*, 1972), Denys de La Patellière (*Le Tueur*, 1972), Juan Buñuel (*Au rendez-vous de la mort joyeuse*, 1973) et José Giovanni. Des petits rôles, certes, la plupart du temps des emplois de jeunes délinquants, mais pas avec n'importe qui : Jean-Paul Belmondo et Claudia Cardinale dans *La Scoumoune* (1972), Jean Gabin, Alain Delon et Michel Bouquet dans *Deux hommes dans la ville*...

— J'avais déjà joué avec Gabin dans *Le Tueur*, puis de nouveau dans *L'Affaire Dominici*, de Claude Bernard-Aubert, où je tenais le rôle de Zézé Perrin, un paysan. Gabin m'aimait beaucoup et, chaque fois que c'était possible, il m'appelait à ses côtés sur les tournages. Il allait voir le producteur ou le réalisateur du film et leur disait : « Je veux le môme avec moi. » Gabin, Bébel, Delon... A l'époque, c'était des superstars ! Je me souviens que, dans la Maserati de Delon, il y avait le téléphone. Le premier téléphone de voiture, tu te rends compte ? J'étais très impressionné. Sur la route, il appelait son maître d'hôtel, devant moi, juste pour lui dire qu'il était sur le chemin et qu'il arrivait. Moi, j'étais fasciné.

— Je reviens à Marguerite Duras et à Jeanne Moreau : elles te couvaient un peu, non ? Tu étais en quelque sorte leur petit protégé...

— Oui, comme Barbara plus tard. Dès que je me sentais un peu seul, je passais voir Marguerite. Puis j'allais frapper à la porte de Jeanne... Jeanne n'était pas du genre à donner des conseils. Il suffisait de la regarder jouer pour apprendre. Ensemble, on a tourné *Les Valseuses*, on a joué dans *La Chevauchée sur le lac de Constance* de Peter Handke... C'était une actrice magique, elle m'éblouissait. Elle était capable d'exprimer une quantité infinie d'émotions. Et puis, Jeanne avait déjà une carrière hallucinante à son actif. Jeanne, c'était *Jules et Jim*, *La Mariée était en noir*... Mais elle n'était pas du genre à jouer les starlettes. En revanche, elle recevait beaucoup. Je me souviens d'avoir dîné chez elle aux côtés d'Orson Welles et avec tout ce que le cinéma français et étranger, tout ce que le théâtre comptaient alors de célébrités. Et moi, le jeune premier, le parfait inconnu, elle m'invitait à partager sa table avec ces monstres...

— Avec Jeanne, c'était plus qu'une passion de théâtre ou de cinéma, c'était une vraie passion sentimentale. Etais-tu amoureux d'elle à l'époque ?

— Amoureux, non. Une passion sentimentale, oui. J'étais plus qu'un ami, une sorte de confident, si tu préfères. Un grand frère. J'étais très fier de cette relation privilégiée. Je n'ai jamais eu l'esprit conquérant avec les femmes ! J'étais là pour entendre les confidences, soulager les petits malheurs, pas pour jouer les amants ou les grands séducteurs...

— Et puis, tu étais déjà avec Elisabeth...

— Oui, c'est vrai, il y avait Elisabeth. Mais, encore une fois, je n'ai jamais été un tombeur. Même maintenant, il me faut beaucoup de temps avant de passer à l'acte. Je préfère, et de loin, l'amitié féminine. Avec Jeanne, c'est une amitié qui a duré et qui dure encore. Comme avec Fanny Ardant d'ailleurs, dont j'ai vu naître la passion avec François Truffaut sur *La Femme d'à côté*. Je ne savais même pas qu'ils étaient ensemble. Pour Jeanne, comme pour Fanny plus tard, j'étais un simple compagnon. Rien de moins, rien de plus.

— Le véritable démarrage de ta carrière, le début de ta métamorphose personnelle aussi, coïncide avec le film de Bertrand Blier, *Les Valseuses*, en 1974. Patrick

Dewaere, Miou-Miou... Le film culte d'une génération, celle des années 70. Comme *Easy Rider* fut le film symbole de la révolution sexuelle et de la contre-culture *sex and drugs* des années 60. Comme *A bout de souffle* de Godard avait été le film référence de la génération de la fin des années 50. Pourquoi et comment Blier t'a-t-il choisi pour le rôle de Jean-Claude ?

— Un soir, Bertrand est venu au Théâtre de La Madeleine voir une représentation de *Galapagos*, la pièce de Jean Chatenet dans laquelle je jouais un petit rôle aux côtés de Nathalie Baye et de Bernard Blier. En fait, tout-Paris venait voir la pièce pour applaudir Bernard Blier. Mais ce soir-là, Bertrand m'a remarqué. A cette époque, il avait écrit un roman, *Les Valseuses*, qui était en train de devenir un best-seller. Le roman d'une génération, disait-on à l'époque, qu'il souhaitait adapter au cinéma. Pour son casting, Blier avait auditionné Miou-Miou, Dewaere et Coluche qui jouaient au Café de la Gare où moi-même je me produisais certains soirs. Or, j'étais persuadé que le rôle de Jean-Claude était taillé sur mesure pour moi. Chaque jour, j'allais voir Bertrand dans les bureaux de son producteur pour essayer de le convaincre. Mais son producteur n'était pas chaud. Il lui disait : « Attends, on ne va tout de même pas prendre ce type, il va faire fuir les femmes ! » Mais Bertrand a tenu bon et il m'a finalement préféré à Coluche qui avait pourtant passé quelques essais...

— Il paraît que le tournage du film a été épique. Légende ou pure vérité ?

— Le tournage s'est déroulé à merveille. Mais la vérité, c'est que Patrick et moi étions insupportables. De vraies têtes brûlées. Rien à voir avec les acteurs d'aujourd'hui. Dès le tournage terminé, c'était nuit blanche assurée. On écumait les bars, on picolait jusqu'au petit matin. Un soir, je me suis même retrouvé mêlé à une bagarre. En fait, on vivait un film à côté du film. On continuait à jouer nos personnages en dehors du plateau. On connaissait notre texte, mais certains jours, c'est vrai, on avait de la peine à jouer. Il faut dire qu'on buvait vraiment beaucoup... Patrick, comme Miou-Miou, improvisait parfois. Moi, j'en étais parfaitement incapable. Même au Café de la Gare, je n'ai jamais improvisé. Je n'avais pas encore assez de vocabulaire pour être à l'aise dans l'improvisation. Mais pour eux, c'était naturel...

— Vous ne faisiez pas que boire...
— Moi si. Et beaucoup, même. Mais Patrick, lui, fumait pas mal de joints. Et, avec l'alcool, le résultat était parfois détonnant. Bertrand était effondré de nous voir dans cet état, mais en même temps, je crois qu'au fond de lui il était ravi. Il sentait que l'alchimie était en train de prendre, qu'il y avait de la magie sur ce film. En quelque sorte, c'était un peu du cinéma-vérité, en l'occurrence magnifiquement servi par le travail de Bruno Nuytten, le directeur de la photographie de Blier. Sauf qu'évidemment le tournage avait pris du retard. Le producteur était inquiet, il mettait la pression sur Bertrand. Un jour, il est même venu nous voir à l'improviste avec sa vieille Porsche. Pour le calmer, Bertrand n'a rien trouvé de mieux que de nous demander de nous allonger sur le plateau, caméras en berne, et de faire semblant de dormir. J'ai cru que le type allait devenir fou...

— Tu as rencontré Patrick Dewaere et Miou-Miou au Café de la Gare. Quelles étaient tes relations avec Dewaere ?
— Oh, très bonnes. Mais c'était avant tout des relations de cinéma. A l'exception de Jean Carmet, je n'ai jamais eu d'amitiés d'acteur en dehors des plateaux. Et encore, Jean, pour moi, était plus qu'un acteur. C'était

mon père, mon frère, mon parrain, mon ami indispensable. Un ami que ce métier faisait d'ailleurs plus souffrir qu'autre chose. Avec Patrick, on s'entendait comme deux larrons en foire, mais on ne se voyait pas en dehors du boulot. Nous étions un peu comme deux chiens fous lancés dans la nature. Et quand deux tempéraments comme les nôtres se rencontrent, ça produit forcément des étincelles. Cela dit, Patrick était plus discipliné que moi. Enfant, déjà, il était acteur ; il connaissait ce métier. Moi, je n'avais fait que du théâtre, et, au théâtre, tu ne peux pas te permettre d'arriver bourré sur scène. Le cinéma est un métier de riches, les acteurs sont pris en charge nuit et jour, il y a des assistantes qui s'occupent de tout. Au théâtre, on vient aux répétitions par ses propres moyens. Au cinéma, un chauffeur vient te chercher, tout le monde est aux petits soins... Mais, de nous deux, c'était lui le plus fragile, le plus vulnérable. Un écorché vif, Patrick. Un grand blessé de la vie, ultrasensible...

— Et l'entente à trois avec Miou-Miou ?

— Excellente. Ce film, c'était un peu notre bohème à nous. Miou-Miou était une fille gaie, inventive, une magnifique actrice. Sur ce film notamment, elle a fait un travail remarquable. Je l'aimais beaucoup, vraiment. Mais pas jusqu'à tenter de la séduire, si c'est ce que tu suggères. Elle était avec Patrick et j'étais très heureux comme ça...

— Je ne suggère rien, sauf qu'un soir, à l'hôtel, Patrick a défoncé la porte de ta chambre, pensant la trouver dans ton lit...

— Oui, c'est vrai. Depuis de longues minutes, j'entendais quelqu'un pleurer sans savoir d'où provenaient ces sanglots. Tout à coup, il a explosé la porte de ma chambre. Il était là, en face de moi, les yeux exorbités :

« Je croyais qu'elle était avec toi... Je pensais qu'elle faisait l'amour avec toi... » Il confondait la vie et son métier d'acteur. Il croyait que le film se prolongeait dans la vraie vie. Mais en l'occurrence, je crois qu'il s'agissait moins de jalousie que d'une extrême fragilité de sa part. Patrick n'était pas sûr de lui, il doutait de son charme, de son talent. J'ai dû alors m'employer pour le convaincre qu'il se fourvoyait, que je n'avais pas vu Miou-Miou de la soirée, que jamais je ne pourrais lui faire une chose pareille. Je m'entends encore lui dire, pour le calmer, que je n'aimais pas Miou-Miou.

— Dans *Lettres volées*, tu adresses une longue lettre à Patrick Dewaere dans laquelle tu parles de son suicide...
— J'étais sincère : j'ai toujours senti la mort en lui. Je ne lui en ai évidemment jamais rien dit, mais c'était comme une certitude. Au fond de moi, je connaissais la fin de l'histoire. Je savais comment tout cela se terminerait. Il y avait quelque chose de fêlé en lui, comme un vice de fabrication. Quand on m'a annoncé sa mort, je n'étais même pas étonné. Je n'ai pas versé une larme, je m'y attendais. Comme si je m'étais préparé depuis longtemps à cette nouvelle.

— Toujours dans *Lettres volées*, tu fais cet aveu posthume à Patrick Dewaere : « Avec toi, écris-tu, j'aurais aimé avoir une aventure [...]. L'homosexualité, c'est sans doute beaucoup plus subtil que ce qu'on en dit. D'ailleurs, je ne sais pas ce que c'est, à quoi ça ressemble [...]. Mais je ne peux pas m'empêcher de penser, Patrick, que si tu n'étais pas parti, c'est peut-être toi que j'aurais embrassé dans *Tenue de soirée*... »
— Ne va pas chercher midi à 14 heures ! Ce n'est rien d'autre qu'une déclaration d'amitié amoureuse, une profession de foi passionnée. Patrick n'était pas homosexuel bien sûr, moi non plus d'ailleurs. Mais j'étais ému par

sa fragilité, ses fêlures profondes. Je crois que, dans son enfance, il avait été victime d'actes de pédophilie. Il m'en avait parlé mais je ne sais pas si j'ai le droit de raconter ça. Ce que je sais, c'est que sa fragilité venait de là. Cette enfance qui ne passait pas, c'était son abîme, son gouffre intérieur. L'alcool, la drogue, ses fantômes intimes... Tout provenait de là. Et moi, je me sentais impuissant face à ça. Je l'ai écrit d'une phrase dans mon livre : « J'étais le spectateur forcé de ce compte à rebours. » Je savais la fin inéluctable, mais je ne pouvais rien faire... (*Long silence.*) Cela dit, je veux bien qu'on passe à autre chose ; je n'ai pas envie d'en parler plus que ça. Patrick n'est plus là, mais certains de ses proches qui connaissent cette histoire sont encore de ce monde. Je ne veux faire de tort et de peine à personne...

— Je comprends... *Les Valseuses* a constitué, pour toi comme pour Blier, Dewaere et Miou-Miou, un véritable tremplin professionnel. Du jour au lendemain, vous étiez connus et reconnus... Deux mois après la sortie du film, tu fais une courte apparition dans *Stavisky* d'Alain Resnais avec Jean-Paul Belmondo et François Périer. Six mois plus tard, on te retrouve dans *Vincent, François, Paul et les autres* de Claude Sautet, aux côtés d'Yves Montand, de Michel Piccoli et de Serge Reggiani. Que des grands réalisateurs, que des grands acteurs !

— Et des films qui, aujourd'hui, sont devenus des classiques du cinéma. Mais ça, c'est le hasard de la vie. Ou la chance. Pour *Stavisky*, c'est Alain Resnais qui a eu l'idée de me confier le rôle de ce jeune inventeur à cause d'une réplique que devait dire Belmondo à mon sujet : « Il ira loin ce petit. » Cela dit, je ne faisais qu'un passage éclair dans le film. En revanche, le film de Sautet reste un des plus beaux moments de ma carrière. Imagine le tableau : j'ai vingt-six ans, je joue le rôle de Jean, un jeune contremaître, boxeur amateur, et, en face de moi, j'ai Montand, Piccoli, Reggiani que j'adorais – un autre écorché vif bouffé de l'intérieur –, Marie Dubois, Stéphane Audran, Catherine Allégret... Et pour mettre tout ce beau monde en musique, le quotidien de Sautet, servi par des dialogues magistraux. Un pur moment de magie. L'univers de Sautet, c'est comme celui du Truffaut dans *La Femme d'à côté* ou celui d'André Téchiné avec lequel je tourne actuellement *Les temps qui changent*, ici, à Tanger, avec Catherine (*Deneuve*). Du très, très grand cinéma. A l'époque, en lisant le script, je ne savais pas forcément où je mettais les pieds. Sautet, ce n'était pas mon monde. Comme Truffaut d'ailleurs. Ce n'est qu'en visionnant *La Femme d'à côté* pour la septième fois que j'ai vraiment compris. Je me suis effondré en larmes devant tant de vérité. Quand je pense qu'on a mis six semaines à peine pour tourner ça... J'ai à nouveau ressenti la même émotion en tournant *Le Dernier Métro*...

— Il y a une chose que beaucoup de gens ignorent, c'est que deux ans avant *Vincent, François, Paul et les autres,* tu as déjà failli tourner avec Claude Sautet dans *César et Rosalie* aux côtés du duo Romy Schneider-Yves Montand...

— C'est exact. A l'époque, Jean-Louis Livi, le fils du frère de Montand, Julien, dirigeait l'agence Artmédia et représentait les intérêts de Claude Sautet. Claude cherchait un acteur capable de rivaliser avec Montand et de séduire Romy. Je sais qu'il a tout fait pour imposer ma présence au générique, mais Sautet a finalement préféré Samy Frey. Honnêtement, je crois que j'étais trop jeune pour le rôle. Je manquais de maturité. En tout cas, Samy Frey était plus crédible que moi, cela ne fait aucun doute. Physiquement, j'étais plus proche de Gabin et de Belmondo que de Delon ou de Samy Frey. Plus tard, Jean-Louis Livi deviendra mon agent et me demandera même d'être le parrain de son fils Victor...

— ... avant de se brouiller définitivement avec toi...

— Oui, mais beaucoup plus tard. Jean-Louis était un ami. J'ai collaboré avec lui pendant près de vingt-cinq ans, c'était un agent merveilleux. A l'époque, je trouvais que mon agent, chez Artmédia, n'était pas suffisamment téméraire, qu'il ne se défonçait pas assez pour moi. Je l'ai quitté pour travailler avec Jean-Louis. Jusqu'au jour où Jean-Louis a lui-même embrassé la carrière de producteur. Je l'ai beaucoup aidé, mais je crois qu'en tant que producteur il n'a pas suffisamment d'appétence artistique pour les auteurs, les acteurs... Plus tard, c'est vrai, il y a eu un clash entre nous.

— A quelle occasion ?

— A l'occasion du film que j'ai réalisé en 1998, *Un pont entre deux rives* : il pensait que je lui avais piqué ce livre alors que c'est Carole (*Bouquet*) qui me l'avait apporté. Qui, elle-même, le tenait de Jean-Daniel Verhaeghe. C'est triste, mais c'est comme ça...

— Ce n'était pas votre première brouille...

— Non, c'est vrai. En 1991, déjà, il m'avait mis dans une situation très embarrassante à propos du film d'Alain Corneau, *Tous les matins du monde*. Dans le rôle de Sainte-Colombe, il voulait absolument prendre Daniel Auteuil pour refaire le coup de l'affiche de *Jean de Florette*. Auteuil et Depardieu, ensemble. Daniel est un acteur fabuleux que j'adore. Bref, on a fait des essais avec Daniel et, tout à coup, Jean-Louis s'est rendu compte qu'il avait fait une erreur de casting, que Daniel ne convenait pas pour le rôle. Il l'a remplacé par Jean-Pierre Marielle... Daniel n'était évidemment pas en cause. C'est Jean-Louis qui s'était trompé. Jean-Pierre n'y était pour rien non plus. Lui aussi, je l'admire. Et en plus, avec Rochefort, il a été l'un des pères de cinéma de Guillaume.

— A propos d'affiche, il paraît que sur celle de *Barocco* tu as fait un scandale auprès du producteur, parce que tu jugeais inadmissible que ton nom apparaisse au-dessus de celui d'Isabelle Adjani...

— C'est l'exacte vérité. Jean-Louis Livi et Bertrand de Labbey, qui s'occupe aujourd'hui de mes affaires, peuvent en témoigner : je n'ai aucun problème d'ego avec les affiches. D'ailleurs, je ne regarde jamais mes contrats, et encore moins les détails publicitaires ou promotionnels d'un film. En revanche, j'ai toujours considéré que les actrices devaient apparaître en premier sur l'affiche, c'est-à-dire en haut à gauche. J'ai donc effectivement demandé qu'il en soit ainsi pour *Barocco*.

— Je reviens un instant sur ce trio magique du film de Sautet : Montand, Piccoli, Reggiani... Dès 1971, dès tes premiers rôles, tu as donné la réplique aux plus grands...

— C'est vrai. Et avant eux, Gabin, Delon, Michel Simon... Je les regardais travailler comme un débutant devant ses maîtres. On peut dire que j'ai eu de la chance. On peut dire aussi que j'ai su forcer ma chance. Comme tu voudras...

— Un mot sur Michel Simon dont tu vas bientôt reprendre le rôle de *Boudu sauvé des eaux* dans le *remake* de Gérard Jugnot : on dit qu'à vingt-cinq-vingt-six ans, tu écumais les boîtes de nuit parisiennes avec lui, que tu allais même le récupérer à la petite cuillère à l'heure du laitier dans des boîtes louches de Pigalle... C'est encore la légende ?

— Je ne sais pas d'où tu sors ça, mais c'est vrai. Ce n'est pas une légende. En fait, le soir, on nous envoyait, Dalio et moi, chercher Pierre Brasseur au théâtre Saint-Georges où il jouait une pièce intitulée *Tchao*. De là, effectivement, on allait au Casino de Paris pour récupérer Michel Simon qui assistait chaque soir, au premier rang, à la revue des *Girls*. Sauf qu'au lieu de rentrer sagement à la maison, on faisait la tournée des bars à Pigalle. La plupart du temps, je devais le ramener chez lui parce que, le pauvre, il n'était plus en état. Mais Michel Simon ne m'aimait pas beaucoup. Il avait vu *Pas si méchant que ça*, le film de Claude Goretta dans lequel je jouais avec Marlène Jobert. Il disait : « C'est de la merde, c'est de la merde ce film... » Mais je suis conscient de la chance que j'avais alors de fréquenter ces monstres vivants. Comme ce fut une chance inouïe aussi de pouvoir travailler, sur le film de Bernardo Bertolucci, *1900*, avec Robert de Niro et Burt Lancaster, mes deux idoles de l'époque...

— C'est une période de ta carrière où tu as enchaîné des rôles très typés. Dans le film de Claude Sautet, tu joues un boxeur qui prend une raclée. Dans *Maîtresse*, de Barbet Schroeder (1976), tu es l'ami pervers d'une dominatrice sado-masochiste, tenancière de bordel. Dans *Barocco*, d'André Téchiné, avec Isabelle Adjani, tu interprètes le rôle de Samson, l'assassin, qui prétend être l'amant homosexuel d'un politicien dont il veut briser la carrière. Dans *La Dernière Femme* de Marco Ferreri (1976), tu t'amputes le pénis avec un couteau électrique sous le regard d'Ornella Muti... Ces rôles difficiles n'ont pas arrangé l'image de voyou qui te collait déjà à la peau depuis la sortie du film de Blier...

— Mon image, je ne l'ai jamais contrôlée. Dès la sortie des *Valseuses*, j'ai été catalogué. Les journalistes se délectaient de ma « jeunesse délinquante », comme ils disaient. J'étais le voyou du cinéma français, le rebelle qui avait fait de la prison, avec autant de croix sur la carlingue que de conquêtes féminines à mon actif. Je les laissais dire. Mais c'est vrai que tous ces rôles étaient psychologiquement difficiles à assumer. Aujourd'hui, ce serait un jeu d'enfant de tourner ces films et de passer à autre chose. Mais à l'époque, à vingt-cinq-vingt-huit ans, je n'étais pas encore blindé. Tu as cité mes rôles dans *Maîtresse*, dans *Barocco* ou dans *La Dernière Femme...* Mais, à titre de comparaison, il a été beaucoup plus difficile pour moi de me débarrasser de la blouse blanche du docteur Berg...

— Ton rôle dans le film de Jacques Rouffio, *Sept morts sur ordonnance* (1975)...

— Oui, un film magnifique. Longtemps après sa sortie, je croisais des gens dans la rue qui me donnaient du « Bonjour docteur » ! J'aurais adoré être chirurgien, être chaque jour confronté au regard angoissé des malades qui attendent, à moitié endormis, avant de passer au bloc opératoire. Pendant le tournage, à l'hôpital, je gardais ma blouse blanche sur le dos et j'allais voir les malades dans leur chambre ou sur leur brancard : je leur remontais le moral. Je leur prenais la main : « Ne vous inquiétez pas, tout va bien se passer »...

— A sa sortie, *Les Valseuses* déclenche une violente polémique. L'Eglise catholique crie au scandale et menace d'intenter une action en justice pour faire interdire le film. La presse de droite s'inquiète de savoir si les personnages ne vont pas donner des idées aux plus jeunes. Même la presse de gauche se pince le nez... Quand tu as lu le scénario de Blier, imaginais-tu l'accueil mouvementé qu'allait susciter le film ?

— Franchement non. Le scénario de ce film, c'était le scénario de ma vie. Tout ce que raconte Blier, je l'ai connu peu ou prou : le côté *road movie*, les vols de voitures, ces deux types qui harcèlent des femmes, Isabelle Hupert en jeune vierge bourgeoise qui insiste pour se faire déflorer... Tout est vrai. D'ailleurs, beaucoup de gens, parmi le public mais aussi parmi les journalistes, m'assimilaient à Jean-Claude. Mais toutes les conneries que fait Jean-Claude dans le film, c'est pour chasser l'ennui ! Voler une voiture, braquer un magasin de jouets ou un bureau de tabac tenu par un homosexuel, c'est d'une bêtise absolue, mais c'est uniquement pour chasser l'ennui et la monotonie de la vie quotidienne.

— En revanche, quand tu lis le scénario de *La Dernière Femme* de Ferreri, tu sais que le film va faire scandale, que la scène de la mutilation va choquer...

— Oui, bien sûr. Mais honnêtement, il n'y a rien de choquant dans cette scène. Elle a sa raison d'être dans le film. Quand Marco Bellochio demande à Marushka Detmers de pratiquer une vraie fellation, face caméra, oui, c'est pervers parce que gratuit. Quand Catherine Breillat demande à son actrice de se faire baiser par Rocco Siffredi, acteur de film X, oui, je trouve ça pervers. Limite dégueulasse même. En revanche, le personnage imaginé par Marco Ferreri a perdu toute identité sociale, il est au chômage, sa femme le quitte alors qu'elle appartient à un mouvement révolutionnaire. Encore une fois, la scène de l'amputation a sa raison d'être. Quand le film sort, on est en plein mouvement féministe. La scène est choquante, sans doute, mais elle n'est ni perverse, ni gratuite.

— Je me trompe, ou l'on peut dire qu'avec Marco Ferreri ce n'était pas franchement le grand amour ?

— Si, si, on s'entendait plutôt bien. C'est après le film que les choses se sont un peu envenimées entre nous. Et encore, rien de bien grave.

— Rien de bien grave ? Dans le *Corriere della Sera*, tu as déclaré à propos de lui : « Il est tellement avare qu'il n'arrive plus à chier, sa merde lui remonte à la tête. »

— C'était une boutade. J'avais dit précisément : « Il n'ose pas chier de peur de perdre quelque chose. » Une fois de plus, j'aurais mieux fait de la boucler. Je le trouvais avare, maladivement radin, je l'ai dit, voilà tout.

— Il y avait peut-être d'autres manières de le dire...

— Ta remarque est bien dans l'air du temps. On ne peut plus rien dire à personne sans se faire rappeler à l'ordre. De tout temps, dans les batailles artistiques entre écrivains ou entre peintres, on s'est envoyé des noms d'oiseaux. On n'en faisait pas tout un drame. Regarde ce que balançaient Cocteau ou Guitry à leurs détracteurs : c'était bien plus violent ! Souviens-toi du conflit entre André Gide et François Mauriac. Un jour, Gide est en train de se faire sucer par un jeune et bel éphèbe marocain. Alors qu'il se rhabille, Gide dit à son gigolo : « Surtout, tu te souviendras bien que tu as sucé un homme célèbre. Je m'appelle François Mauriac. Tu te souviendras, n'est-ce pas ? François Mauriac. » Aujourd'hui, on ne peut plus rien dire sur personne. Tout est aseptisé, il faut prendre des gants pour dire ce qu'on pense. Quand Maurice Pialat s'engueulait avec Jean Yanne, avec Marlène Jobert ou, plus rarement, avec moi, je peux te dire qu'il ne faisait pas de cadeaux. Avec Maurice, les joutes verbales étaient autrement plus fleuries que celles d'aujourd'hui... Avec Marco, c'était pour rire. Il ne m'en a d'ailleurs pas voulu.

— A l'époque, tous les hommes auraient donné n'importe quoi pour être à ta place et tenir Ornella Muti dans leurs bras...

— Je les comprends. Elle était radieuse. L'Italienne dans toute sa splendeur. Mais elle était très jeune aussi. Elle avait commencé à tourner à quatorze ans avec le réalisateur Damiano Damiani. Il employait des méthodes de dingue avec elle : il la fouettait hors champ pour la faire pleurer devant la caméra. Il faut être Sophia Loren pour supporter tout cela si jeune. Mais n'est pas

Sophia Loren qui veut ! Sophia, c'est la mère de tous les comédiens, la sainte patronne des acteurs, une intelligence hors norme, un savoir-vivre et une discrétion uniques. Un jour, sur le tournage de *La Dernière Femme*, j'étais très en colère contre Ornella. Je la cherchais partout. Je suis allé dans sa loge, et elle était là, en train de fumer un joint, tranquillement installée avec son fiancé Alessio. Je lui ai rappelé cette anecdote quand nous avons tourné ensemble *Monte-Cristo* pour la télévision. Elle m'a dit en riant : « J'étais vraiment conne à l'époque. » La vérité, c'est que nous étions tous très cons à l'époque !

— Sans avoir franchement un physique de jeune premier romantique, tu as séduit à l'écran les plus belles femmes du monde : Ornella Muti, Isabelle Adjani (*Barocco*, 1976), la belle Hollandaise Sylvia Kristel (*René la Canne*, 1977) qui fera fantasmer la France entière dans *Emmanuelle*, Carole Laure (*Préparez vos mouchoirs*, 1978), Isabelle Huppert (*Loulou*, 1980)... Je croyais que tu étais un timide avec les femmes.

— Oui, mais je te le répète, je n'ai jamais été un séducteur-né. J'en connais des acteurs qui tombent tout ce qui bouge. Moi pas ! Et puis, je vais peut-être t'étonner, mais c'est plus facile de prendre Ornella Muti ou Sylvia Kristel dans les bras sur un plateau de cinéma que de faire la cour à une fille dont tu es vraiment amoureux. C'est toujours plus facile de faire semblant. Au cinéma, ma timidité avec les femmes n'était plus un obstacle, puisque tout était pour de faux. Dans la vraie vie, c'était une autre paire de manches. Cela dit, ce n'était pas simple chaque fois. Isabelle Adjani, par exemple, ne supportait pas que je la regarde. Elle ne voulait pas non plus de contrechamp. Tout autre que moi aurait pris la mouche. Moi, je considérais que c'était sa liberté. Elle ne voulait pas croiser mon regard ? Très bien, ça m'allait.

— Qu'est-ce qui la gênait ?

— Moi, peut-être. Va savoir ! Mais je peux te dire qu'on s'entendait très bien...

— A partir des *Valseuses*, tu enchaînes les films : Resnais, Sautet, Bertolucci, Barbet Schroeder, Ferreri, Téchiné, Comencini...

— Pas du tout par boulimie comme le répétaient déjà les journalistes, mais par choix, par passion. Chacun de ces metteurs en scène avait son univers propre. Sans mon bagage théâtral, sans la rigueur du théâtre classique que m'avait enseignée Jean-Laurent Cochet, sans la science du gros plan que m'avait transmise Claude Régy, jamais je n'aurais pu être à la hauteur de ces immenses réalisateurs. Pour eux, j'étais une véritable pâte à modeler. Ils pouvaient faire de moi ce qu'ils voulaient. Je n'avais pas encore pris de mauvaises habitudes. Je jouais à l'instinct. Je n'avais aucune idée préconçue sur les rôles que je devais jouer. Avec eux, j'étais un peu en formation continue...

— Quatre ans après *Les Valseuses*, tu retrouves Bertrand Blier et Patrick Dewaere pour le tournage de *Préparez vos mouchoirs*. Mais, cette fois, Carole Laure a remplacé Miou-Miou dans le trio infernal...

— Oui. Sacré film ! Traîné dans la boue par les critiques américains, plébiscité par le public outre-Atlantique et, finalement, oscar du meilleur film étranger. Je garde de très beaux souvenirs de ce tournage. C'était l'été 1977, Patrick n'était pas au mieux de sa forme. Je ne le quittais pas d'une semelle. Je prenais même de la drogue avec lui pour ne pas le laisser seul face à ses fantômes. Mais moi, j'étais costaud, j'aurais supporté n'importe quoi. Lui moins. J'essayais de le faire décrocher. Je l'entraînais avec moi pour faire du vélo dans la forêt, dans les Ardennes. Le sport lui faisait du bien. Mais il n'avait pas le moral, il semblait déprimé. Et puis, il y avait cette histoire avec Yves Boisset...

— Quelle histoire ?

— Yves Boisset m'avait contacté pour jouer le rôle-titre dans *Le Juge Fayard, dit le Shérif* (1976), adapté de l'histoire du juge Renaud et des relations entre le gang des Stéphanois et le SAC (le Service d'Action Civique). Or, je ne voulais pas travailler avec Boisset à cause d'une vieille querelle. En 1973, pour son film sur la guerre d'Algérie, *R.A.S.*, il avait refusé de me prendre au pré-texte que je faisais « trop acteur ». Résultat des courses : il n'a pris que des élèves du Conservatoire, alors que moi, je l'avais raté, le Conservatoire. Va comprendre... Ce n'est que plus tard que j'ai enfin compris pourquoi il m'avait rayé de sa liste. En fait, il croyait que, sur le tournage de *Rendez-vous à Baden-Berg*, le téléfilm de Jean-Michel Meurisse (1966), j'avais couché avec sa fiancée de l'époque, Martine Redon. Or, à l'époque, je te l'ai dit, j'étais bien incapable d'avoir une histoire avec une actrice. Martine a eu beau jurer ses grands dieux qu'il ne s'était rien passé, il n'a jamais voulu la croire.

— C'est la raison pour laquelle tu as refusé de jouer dans *Le Shérif*...

— Le rôle m'était normalement destiné, mais j'ai dit à Patrick : « Il vaut mieux que tu fasses le rôle à ma place. Moi, je ne peux pas travailler avec Boisset, ni avec Claude Lelouch d'ailleurs. Et puis tu es parfait pour le personnage. » Je ne m'étais pas trompé : le film a eu un énorme succès, Patrick était exceptionnel. Selon moi, il y était aussi somptueux que dans *Un mauvais fils* de Claude Sautet (1980).

— J'ai bien saisi l'origine du contentieux avec Yves Boisset. Mais pourquoi ne pas vouloir non plus tourner avec Claude Lelouch ?

— Vieille histoire, là encore. A l'époque, je jouais *Saved* d'Edward Bond au TNP. Claude Lelouch était venu me voir pour me proposer de participer à un film qu'il produisait. Ça s'appelait *Comme dans la vie*, un titre extrêmement intelligent comme tu vois... Du Lelouch dans le texte ! Le réalisateur s'appelait Pierre Villemin. C'était l'histoire de deux journalistes qui arrivaient sur des coups comme l'Ouganda, la guerre du Vietnam, mais toujours trop tard. Bref, je dis « oui » à Lelouch et, pour tenir ma promesse, je renonce même, la mort dans l'âme, à faire un film de Claude Jutra, lequel me remplace au débotté par Philippe Léotard. Philippe était un acteur extrêmement doué que j'avais rencontré en 1969 sur le tournage de *Menaces* de Jean Denesle, une dramatique pour la télévision... Le tournage du Lelouch commence et, au bout de trois semaines, le film s'arrête, comme ça, sans raison apparente. Lelouch me convoque dans son bureau, avenue Hoche. Je crois que c'était en 1971 parce que Guillaume venait juste de naître. Et là, Lelouch me dit : « Gérard, fais-moi un cadeau, je ne peux pas te payer sur ce film. » Il me devait trente mille francs... Là, il commence à m'inventer des trucs bidons : « Tu comprends, le film n'est pas très bon, et puis ça devient de plus en plus dangereux d'aller au Vietnam... » Et là, je lui dis, du haut de mes vingt-trois piges : « Ecoute, garde-les tes trente mille balles. Je trouve ton attitude dégueulasse et je vais te dire une chose : plus jamais de ma vie entière, je ne tournerai avec toi... »

— Tu as tenu parole ?

— J'ai beaucoup de défauts, mais je tiens toujours parole. Depuis, il m'a fait plusieurs propositions : je les ai toutes refusées ! « Rappelle-toi ce que je t'ai dit dans ton bureau, il y a vingt ans. Jamais, Claude, jamais... » Il a tenté de me faire changer d'avis : « Allons Gérard, c'est de l'histoire ancienne... » Et là, je lui ai dit le fond de ma pensée : que je n'aimais pas son travail, que je n'appréciais pas ce qu'il demandait aux acteurs, que la plupart de ses films ne tenaient pas la route. Bref, Lelouch, jamais !

— En 1978, tu te retrouves à l'affiche du film de Marco Ferreri, *Rêve de singe*, avec Marcello Mastroianni, et surtout de celui de Jacques Rouffio, *Le Sucre*, avec Michel Piccoli, Roger Hanin, Claude Piéplu et... Jean Carmet, l'un de tes pères de cinéma. Quand as-tu rencontré Carmet pour la première fois ?

— Sur le film de Michel Audiard, *Le Cri du cormoran...*, en 1971. Nous sommes devenus inséparables dès le premier jour. Entre nous, c'était fusionnel. On était fait du même bois, on avait le même sens de la terre et du vin, la même propension à la rêverie et à la déambulation, le même regard sur les gens. A nous deux, on avait presque inventé le principe du dîner de cons. Dès qu'on en voyait un dans la rue, lors de nos nuits d'ivresse, on ne le lâchait plus. On l'invitait à manger, souvent au buffet de la gare du coin, et là, le type nous emmenait vers des sommets. (*Depardieu explose de rire.*) Jeannot, c'était d'abord un copain de franche rigolade. Il était tourangeau, natif de Bourgueil, moi berrichon, mais on parlait à peu près le même dialecte.

— Carmet était un grand ami d'Audiard...

— Bien sûr. Et je peux te dire que le tournage du *Cri du cormoran...* fut une sacrée partie de rigolade. Inoubliable ! Audiard était un anar total. Un anar de droite comme il disait. Moi, j'avais traversé mai 1968 en arrachant les montres de tous ces jeunes bourgeois à la con qui fumaient des joints dans le quartier de l'Odéon. Ça les amusait beaucoup, Jeannot et Michel, de m'entendre raconter mon Mai 68 à moi ! Le moins que l'on puisse dire, c'est que je n'ai pas vraiment partagé la fièvre de ces milliers d'étudiants qui dressaient des barricades dans les rues du Quartier latin. Pour moi, tous ces jeunes gens étaient avant tout des nantis, des bourgeois. D'ailleurs, pendant qu'ils faisaient leur pseudo-révolution à Paris, pendant qu'ils défiaient les CRS boulevard Saint-Germain et à Saint-Michel, moi je me suis fait prendre par une descente de flics dans un bar. Les policiers essaient de m'arrêter ; je me débats, j'envoie quelques coups à la volée, et, dans la bagarre générale, j'écrase le képi qu'un flic avait laissé tombé par terre. J'ai été jugé pour le plus grave délit des événements de Mai 68 : destruction de képi ! Quand je racontai ça à Audiard, il était plié en deux. J'ai évité la prison de justesse, mais j'ai été condamné à... trois cents francs d'amende. Voilà mon seul fait d'armes de Mai 68 !

— Quand Carmet est décédé, le 20 avril 1994, tu as dit : « C'est mon premier vrai deuil... »

— Oui, c'est vrai. C'était mon premier vrai deuil. Quand Jeannot est parti, pour la première fois, j'ai ressenti l'absence au plus profond de ma chair. Et son absence m'a permis de comprendre celle de mes parents. Quand le Dédé et la Lilette sont morts en 1988, à quelques mois d'intervalle, je n'ai même pas pleuré. En fait, je les avais quittés depuis longtemps. C'est en perdant Jean que j'ai compris combien mes parents me manquaient. J'ai éprouvé la même émotion lorsque François Truffaut, puis Barbara nous ont quittés. Personne n'a remplacé Jean dans ma vie, comme personne ne remplacera jamais François et Barbara. Ce sont des êtres uniques qui ne me quittent pas. Très souvent, au hasard des situations de la vie, je ressens la présence de Jean. (*Depardieu semble vraiment ému en évoquant la mémoire de Jean Carmet.*) Non, vraiment, Jeannot ne me quitte pas. Il est avec moi...

— Il paraît que tu as racheté sa maison, conservé toutes ses affaires, et que tu portes toujours sur toi son vieux couteau de campagne noir avec son nom gravé sur la tranche...

— C'est vrai. A sa mort, j'ai voulu préserver son souvenir. J'ai racheté sa maison de Goudargue, près d'Uzès, pour sa dernière femme, Catherine. Il y a toujours son placard avec ses affaires personnelles. Ma sœur Catherine et mon frère Franck y vont de temps en temps. Et puis, il y a des vignes, on continue à faire le vin de Jean Carmet. Une cuvée porte même son nom. Rien n'a changé. J'ai fait refaire les peintures... Et puis, c'est vrai, au château de Tigné, en Anjou, je conserve des objets qui lui ont appartenu. Je ne suis ni collectionneur, ni fétichiste. Mais je lui avais aménagé une chambre au château. D'ailleurs, le lendemain de sa mort, on devait partir ensemble à Tigné pour choisir les couleurs de sa chambre, un ancien poulailler avec une terrasse qui dominait toutes les terres. Cette idée lui plaisait beaucoup... Jean, c'était mon ami, mon père, mon frère... Il me manque terriblement.

— « Mon ami, mon père, mon frère... », c'est-à-dire ?

— Ma relation avec Jean, ça ne s'explique pas. Il était de la famille, on avait les mêmes gènes, voilà tout. On ne cherche pas l'amitié. L'amitié naît sans que l'on s'en rende compte. C'est comme l'amour, ça te tombe dessus sans crier gare. Il y avait entre nous une complicité rare. J'avais des demandes auxquelles il était capable de répondre, il avait des attentes que j'étais à même de satisfaire, c'est aussi simple que cela. Jean appartenait à la même génération que mon père. Jean, c'est Jean, bien sûr. Il n'a pas remplacé mon père. Je crois d'ailleurs que si le Dédé avait vécu plus longtemps, nous aurions peut-être atteint le même degré de complicité. Mais Jean était un peu comme moi et comme mon père d'ailleurs : il faisait ce métier d'acteur comme un compagnon. Notre relation était basée sur ce compagnonnage qui nous permettait, à tous les deux, d'aller en paix. Quoi qu'il arrive, nous étions toujours là l'un pour l'autre. Je pouvais compter sur lui, il pouvait compter sur moi. Chacun connaissait parfaitement les défauts de l'autre, mais chacun savait être indulgent avec l'autre. Voilà... Les gens comme lui, dans une vie, tu les comptes sur les doigts de la main.

— Le compagnon idéal pour les parties de franche rigolade, aussi...

— Avec Jean, c'était toujours des fous rires assurés. Toujours prêts à faire les blagues les plus désopilantes. Avec Jean Lefebvre notamment. Jean tournait un film en brousse avec Bernard Blier et François Périer. A l'époque, Jean Lefebvre avait une jeune fiancée suisse très jolie et, pendant le tournage, il tournait des images avec sa caméra super 8 : de beaux paysages, sa fiancée au bord de la piscine, un film de vacances quoi... Un soir, Carmet, Blier et Périer lui ont subtilisé la caméra et, sans rien lui dire, ils se sont mis à filmer des culs et des bites en gros plan. (*Gérard est plié en deux de rire à l'évocation de cette histoire de potaches.*) Evidemment, à la fin du tournage, Jean Lefebvre se rend en Suisse dans la famille de sa jeune fiancée et organise une soirée vidéo. « Vous allez voir comme c'est beau, l'Afrique... » Je n'ai pas besoin de te faire un dessin... Entre les images de paysages et celles des grands fauves d'Afrique, les parents suisses de la jeune fille ont dû supporter le cul de Carmet en gros plan et la bite de Blier plein cadre. Tu imagines la tête de beau-papa et de belle-maman ! Moi, j'adorais ces blagues de collégiens. Carmet était coutumier du fait. Parfois, d'ailleurs, il en était lui-même la victime. Dans *Le Cri du cormoran le soir au-dessus des jonques*, de Michel Audiard, il devait tourner une scène, allongé dans un cercueil. On avait creusé un trou dans le cercueil pour qu'il puisse respirer. Michel Serrault,

Bernard Blier, Maurice Biraud et moi, on a vissé le cercueil pour qu'il ne puisse plus en sortir, et on se relayait pour péter au-dessus du trou. Jean, dans le cercueil, disait : « Merde alors, ça pue là-dedans. » Et Audiard, qui tenait la caméra, lui criait dessus : « Mais tu es mort Ducon, on ne doit pas t'entendre. Bon, on la refait. » Des blagues de gosses, tu vois... Je ne me suis jamais autant marré sur les tournages qu'avec Carmet.

— En 1978, c'est moins drôle. Tu tournes le film d'Alain Jessua, *Les Chiens*. Or, quelques mois avant ce tournage, il se trouve que tu as été violemment agressé par un molosse à la suite d'une altercation dans un bar lyonnais. Que s'est-il passé au juste ?

— Je me suis fait agresser par un proxénète qui avait un chien, nuance ! Un proxénète qui s'est d'ailleurs fait tuer, deux ans après, d'une balle dans la tête. J'étais à Lyon où je jouais *Les gens déraisonnables sont en voie de disparition*, la pièce de Peter Handke. Le soir, après la représentation, je vais prendre une bière dans un bar un peu louche en face de mon hôtel. Et là, je tombe sur un type avec une casquette, une espèce d'abruti qui commence à me brancher. Il m'avait vu dans *Les Valseuses*, il me parlait comme si on se connaissait depuis toujours, et il voulait absolument m'emmener aux putes. Au début, je lui parle gentiment, mais il insiste lourdement. Je hausse alors le ton pour qu'il me laisse tranquille. Le type monte sur ses grands chevaux, me menace, me propose de sortir pour régler ça entre hommes. Moi, tu me connais, il ne faut pas m'en promettre. Je le suis jusque sur le trottoir, et là, devant le bar, il ouvre le coffre de sa R16. En sort une sorte de molosse, un malinois je crois, qui me saute dessus. Malgré mon blouson de cuir, il m'a mordu vingt-huit fois ! Je ne te dis pas dans quel état j'étais. On m'a soigné à l'hôpital, on m'a administré des sédatifs et l'on m'a reconduit à mon hôtel où j'ai dormi jusqu'au petit matin. Le lendemain, l'équipe de la pièce m'a demandé si j'étais en état de jouer le soir même. J'ai voulu faire le malin, j'ai répondu que je tiendrais le coup. Mais je me suis écroulé sur scène. Le théâtre a porté plainte. A partir de là, je me suis retrouvé dans un engrenage infernal...

— C'est-à-dire...
— En gros, plus les interrogatoires de police avançaient, plus j'avais l'impression que tout ce qui était arrivé était ma faute. Encore un peu et c'est moi qui avais agressé le chien ! J'étais très choqué. La presse s'en est mêlée...

— Pourquoi, après une telle agression, avoir accepté le film d'Alain Jessua, dans lequel tu joues un maître-chien ? Pour conjurer le sort ?
— Peut-être. Sans doute même. Dans les scènes d'attaque avec les chiens, j'avais une doublure. Le type a enfilé l'épais manteau qui protège les maîtres-chiens. Alain Jessua a dit : « Moteur ! » On a lâché le berger allemand, cinquante kilos de muscles. La doublure a pris peur, il a détourné la tête au moment de l'assaut, la scène était ratée. J'ai alors enfilé le manteau à sa place et j'ai doublé la doublure. Pour vaincre ma peur. Le chien a planté ses crocs à quelques centimètres de mon cou, mais je n'ai pas bronché. « Elle est bonne, on la garde... » La vérité, c'est que j'étais mort de trouille !

— C'est à ce moment-là que tu as commencé ton analyse...
— Oui, sur les conseils d'un médecin lyonnais que j'avais consulté après l'agression : « Après ce qui vous est arrivé, vous devriez aller voir un psychanalyste, ça vous ferait du bien. » Or, Jacques Lacan avait cosigné, avec Roland Barthes, un très bel article sur *La Dernière Femme*

de Marco Ferreri : il analysait les motivations profondes qui avaient poussé mon personnage à se mutiler par amour. Après avoir lu cet article, je suis allé le voir à Paris. Il m'a reçu à son cabinet – trois cents francs la séance ! On s'est vus une petite dizaine de fois seulement, et puis j'ai décidé d'arrêter. Lui ne disait quasiment pas un mot. Moi, je lui racontais l'injustice de mon agression. Je ne comprenais rien, je ne voyais pas l'utilité de ce déballage et, pour dire la vérité, nos tête-à-tête me faisaient chier. En fait, j'étais totalement déprimé. Une dépression profonde, totale. Au bout de quelques séances, je lui ai fait savoir que je ne reviendrais pas. Je suis allé voir un autre lacanien, Claude Conté, mais c'était du pareil au même. Lui aussi m'emmerdait. J'ai tout arrêté, jusqu'au jour où j'ai rencontré Francis Pache, en 1985. Un freudien. Un homme exceptionnel avec lequel je suis resté une bonne dizaine d'années. C'était fabuleux. Grâce à lui, j'ai tout compris – si tant est que l'on puisse tout comprendre. En tout cas, il m'a permis de faire la paix. La paix avec moi-même. La paix avec ce que je suis et avec ce que j'ai... La paix aussi avec ce qu'il appelait nos mémoires généalogiques. Le fait, par exemple, que le père de ma mère et la mère de mon père couchaient ensemble...

— La question est indiscrète, mais qu'est-ce que tu as dit à tes psychanalystes que tu n'avais jamais pu exprimer auparavant ?

— C'est difficile de répondre à cette question. Bizarrement, je crois que j'en ai plus dit dans l'acte, dans le jeu d'acteur, que dans le cabinet de mon psychanalyste. Avec Francis Pache, nous parlions beaucoup de la tragédie, du théâtre, du jeu d'acteur. Aujourd'hui, avec mon nouveau psy, Alain Gérard, c'est la même chose. Je retombe toujours sur les mêmes névroses. Mes problèmes avec l'alcool notamment... Comment faire face à

chaque choc émotionnel sans sombrer dans l'alcool ? En
fait, la seule chose que je puisse faire, c'est prévenir le
moment où je risque de basculer. La psychanalyse ne te
rend ni plus fort dans l'adversité, ni plus intelligent. Elle
t'aide simplement à t'accepter tel que tu es.

— As-tu pour autant l'impression, après toutes ces
années de psychanalyse, d'être enfin en paix avec toi-
même ?
— C'est une certitude. Même lorsque je déprime,
même lorsque j'abuse de l'alcool, je sais désormais faire
la part des choses. C'est la raison pour laquelle, d'ailleurs,
dans ce genre de périodes, je préfère m'isoler du reste du
monde. Je bois, mais seul. Je ne veux plus qu'on me voie
dans cet état. C'est une affaire entre moi et moi, sans
témoins. Après cette histoire d'agression à Lyon, j'étais
comme « penché ». Psychologiquement, je ne parvenais
plus à me tenir droit. Plus d'envie, plus de désir. J'ai eu
beaucoup de mal à m'en sortir. Aujourd'hui, les choses
sont plus simples. Lorsque je déprime, je peux m'en sortir
grâce à des substituts chimiques. Ce n'était pas le cas, il
y a vingt ou trente ans. Aujourd'hui, la recherche médicale a fait des progrès fulgurants dans ce domaine.

— Tu parlais de « chocs émotionnels ». Y a-t-il des
rôles qui te plongent, aujourd'hui encore, dans une profonde déprime ?
— Moins maintenant. J'ai pris de la bouteille, j'ai plus
d'expérience aussi. Mais dans les années 70, je sortais
laminé de certains rôles. Après avoir incarné un type qui
tue sa femme et ses trois enfants, c'est compliqué de
revenir à la vie réelle comme si de rien n'était. Tu ne sors
pas indemne d'un film comme *Sept morts sur ordonnance* !
Pendant dix ans, je n'ai fait que des films noirs, des films
durs, des films où je m'automutilais, où j'assassinais, où
je crevais moi-même. On m'a tiré un nombre incal-

culable de fois dans la panse. Dans *Barocco*, j'ai même eu l'œil arraché ! Dans *Les Chiens*, d'Alain Jessua, je joue Morel, un dresseur de molosses dont le chenil est incendié par des jeunes qui finissent par le descendre... En dix ans de cinéma, j'ai dû mourir quarante fois à l'écran. J'ai été brûlé, meurtri, occis, vendu, guillotiné... Dans le *Danton* d'Andrzej Wajda (1983), je suis passé deux fois à la guillotine : le premier jour du tournage, pour ne plus y penser, et le dernier jour. Je peux te dire que la deuxième fois, tu as vraiment les jetons... Quand je tournais ces films, je ne me rendais pas compte de l'influence qu'ils avaient sur ma vie personnelle. Or, dès le tournage terminé, je passais par des phases de déprime dure, de mélancolie, d'asthénie, d'abattement total, de prostration. C'est plus tard que je m'en suis rendu compte, quand j'ai rencontré Truffaut pour *Le Dernier Métro*, et quand j'ai commencé à tourner des comédies comme *La Chèvre*.

— C'est plus facile de tourner *La Chèvre* de Francis Veber avec Pierre Richard (1981) ou *Inspecteur La Bavure* de Claude Zidi avec Coluche (1980) que de jouer devant la caméra de Maurice Pialat dans *Loulou* avec Isabelle Huppert (1980) ou dans *Sous le soleil de Satan* avec Sandrine Bonnaire (1986)...

— Oui, bien sûr. Encore qu'avec Pialat je m'en sois toujours bien sorti. Simplement, en 1979, quand nous avons tourné *Loulou*, j'étais un peu plus con qu'aujourd'hui. Je m'étais engueulé avec lui, parce que j'étais un peu prétentieux. Je ne me rendais pas compte de ce qui pouvait le blesser. Il ne faut pas perdre de vue que *Loulou*, ce marginal qui, par son refus des conventions, séduit une jeune bourgeoise et lui fait un enfant qu'elle décide de ne pas garder, c'était un peu l'histoire de Pialat. Quand le tournage a débuté, il était en situation de fragilité amoureuse. Les tournages de Pialat restent néanmoins de très bons souvenirs, même si, avec lui, les acteurs étaient toujours sur la corde raide, au bord du précipice. Mais, c'est vrai, il y a des rôles dont j'ai eu du mal à me remettre. Tous les acteurs ressentent cela, un jour, dans leur carrière. Je me souviens de Jean (*Carmet*) après son rôle dans *Dupont-Lajoie* d'Yves Boisset (1975). Il jouait une sorte de Français moyen, un beauf lâche, raciste, méchant, qui viole une jeune fille, la tue et se débarrasse du corps dans un chantier pour faire accuser des travailleurs immigrés arabes. L'ordure absolue. Jean a vécu un véritable calvaire, pendant et après le tournage. La scène du viol avec Isabelle Huppert a été, pour lui, une véritable souffrance, un supplice. Il m'a raconté qu'après l'avoir tournée, il a foncé à son hôtel pour se doucher, longuement, se débarrasser de cette pourriture de Georges Lajoie à qui il avait donné vie à l'écran. C'était terrible. En plus, Jeannot était très fort dans les rôles de salauds... Michel Audiard disait que c'était l'un des acteurs les plus doués de sa génération, je crois qu'il avait raison.

— Je reviens à Pialat. Avoue tout de même que ses tournages étaient plus mouvementés que ceux d'Alain Resnais ou d'André Téchiné ! Sur le tournage de *Loulou* par exemple, vos relations étaient particulièrement orageuses, non ?

— Oh, il en a piqué des crises sur le tournage de *Loulou*. Rien ni personne ne trouvait grâce à ses yeux. Ni les producteurs, ni les techniciens, ni lui-même d'ailleurs. Il nous disait, à Isabelle (*Huppert*) et à moi, qu'on était nuls. Mais on ne s'est pas fâchés pour autant. Engueulés, ça oui ! Fâchés, non. Pialat ne mâchait pas ses mots, je ne mâchais pas les miens. Il n'hésitait jamais à me dire mes quatre vérités. Moins d'ailleurs sur mon travail ou sur ma façon de jouer que sur mon comportement dans la vie qu'il jugeait trop agressif. Parfois, forcément, quand on se disait certaines vérités, il y avait de l'électricité dans l'air...

Mais je crois que les gens se sont beaucoup trompés sur Maurice. Quand on dit Pialat, le public pense à son poing levé à Cannes au moment de recevoir la Palme d'or pour *Sous le soleil de Satan*. Ce geste a été mal interprété, tout comme sa phrase : « Si vous ne m'aimez pas, sachez que je ne vous aime pas non plus. » Mais c'est Pialat, ça. L'authenticité, la spontanéité. Sa vie entière, comme son œuvre, est traversée par cette sensibilité à fleur de peau. *Sous le soleil de Satan*, d'après le roman de Georges Bernanos, est un immense film, un vrai chef-d'œuvre, et cette palme d'or au festival de Cannes 1987 était amplement méritée... Mais, en même temps, Pialat était un rebelle. Il n'était jamais satisfait de lui-même, de son travail. Ce n'est qu'à la naissance de son fils qu'il a commencé à prendre du recul. Il a toujours eu le sentiment d'être un mauvais cinéaste, mais un grand peintre. Il était en pleine contradiction permanente. Il se disait qu'il valait mieux faire un mauvais film qu'une mauvaise toile. Un tableau, même mauvais, ça reste. Un mauvais film, on l'oublie. Or, tous ses films étaient grandioses et toutes ses toiles étaient, à mes yeux en tout cas, des chefs-d'œuvre. Mais c'était impossible de lui faire entendre l'évidence. Il était incapable d'assumer sa vraie nature artistique...

— Après l'engueulade de *Loulou*, vous vous êtes réconciliés, au printemps 1984, juste avant de tourner *Police* qui te vaudra d'ailleurs un prix d'interprétation au festival de Venise...

— C'est Daniel Toscan du Plantier, le producteur de *Police*, qui a joué les entremetteurs pour nous réconcilier. Cette année-là, je venais de réaliser *Tartuffe*, avec Elisabeth Depardieu dans le rôle d'Elmire et François Périer dans celui d'Orgon. Je m'apprêtais à tourner *Rive droite, rive gauche* de Philippe Labro avec Nathalie Baye, Carole Bouquet, Jacques Weber et Bernard Fresson. *Fort Saganne* d'Alain Corneau faisait l'ouverture du festival de

Cannes – le film a d'ailleurs été hué par le public. *La Lune dans le caniveau* de Jean-Jacques Beineix, dans lequel je jouais un docker, faisait, comme chaque fois, polémique... Bref, mon *Tartuffe* était dans la sélection « Un certain regard ». Pialat est venu le voir. Les gens se barraient de la salle un par un. Maurice, lui, est resté jusqu'au bout. Il m'a dit qu'il avait trouvé ça vachement bien, on s'est réconciliés et il m'a engagé pour jouer l'inspecteur Louis Mangin dans *Police* aux côtés de Sophie Marceau avec laquelle je venais de passer plusieurs semaines dans le désert de Mauritanie sur le film de Corneau.

— Maurice Pialat-Sophie Marceau : encore une association orageuse !

— C'est vrai, c'était compliqué. Sophie était encore toute jeune. Elle était impulsive comme je pouvais l'être à son âge. Et puis Maurice était sur les nerfs. Il s'était engueulé avec Catherine Breillat qui avait écrit le scénario de *Police*. On était obligés de réécrire certaines scènes au jour le jour. On tournait toutes les nuits, vingt nuits d'affilée. Les nerfs de tout le monde étaient à vif...

— Les nerfs à vif ? Après le film, Pialat l'a carrément traitée de « conne » et Sophie Marceau l'a qualifié de « sado-maso pervers »...

— Ça fait partie de la légende de Maurice Pialat. C'était à cause de cette émission sur Canal + présentée par Michel Denisot. Maurice et moi, on s'était un peu foutus de la gueule de Sophie. On a eu tort. Maurice aurait dû régler ses comptes avec elle, en privé.

— Je me souviens très bien de cette émission. Pardonne-moi l'expression, mais vous la faisiez passer pour une petite grue que vous martyrisiez à plaisir !

— Oui, mais c'était notre jeu à Maurice et à moi. Denisot mettait de l'huile sur le feu, si ma mémoire est bonne.

Mais, trêve de plaisanterie, personne n'a été odieux avec personne. Maurice aimait beaucoup Sophie. Simplement, en cours de route, il a eu une autre idée de son personnage, Noria. Il ne faut pas oublier qu'on tournait avec de vrais truands et de vrais flics, en pleine nuit. Dans le film, Noria, la fiancée d'un des truands, devient ma maîtresse, à moi le flic. Certaines scènes étaient très difficiles à jouer, la nuit surtout. Sophie était d'ailleurs formidable dans le film, comme Richard Anconina qui jouait l'avocat. Avec lui aussi, il y avait des tensions...

— Entre Pialat et Anconina ?
— Oui, ça gueulait beaucoup. Un jour, Richard a donné un grand coup de poing dans la machine à café parce qu'il n'y avait plus de café. C'était la veille de Noël, décembre 1984. Pialat regarde Anconina, calmement, les yeux dans les yeux : « Tu vois, c'est ça la différence entre toi et moi. Moi, quand je prends mon pouls, il bat à 60 ; le tien bat à 140, tu es un agité, tu es incapable de faire autre chose que de mettre un coup de poing dans la machine à café. » Richard est parti furieux, Sophie a essayé de prendre sa défense, moi j'ai tenté de recoller les morceaux, juste avant les vacances de Noël. Mais Maurice m'a dit : « Il est mauvais, qu'est-ce que tu veux que je fasse ? Il est mauvais, c'est tout. » Richard n'était pas mauvais, je le trouvais même excellent sur ce film. Mais Maurice était comme ça !

— Dans la biographie de Pialat, signée par Pascal Mérigeau (*Pialat*, Grasset), on en apprend des vertes et des pas mûres sur ce tournage. Un jour, Anconina lui fait savoir son désaccord à propos d'une scène qu'il devait jouer, et Pialat lui aurait répondu : « Tu vas jouer cette scène parce que tu as léché par terre pour faire ce film. » Bonjour l'ambiance !
— Ah ça, il fallait être costaud sur les tournages de Maurice ! En fait, le film ne prenait pas du tout la tour-

nure qu'il voulait, alors il explosait. C'était un artiste de génie, mais il n'aimait jamais ce qu'il faisait. Je te l'ai dit, il faisait des films pour ne pas peindre. A l'arrivée, le film était magnifique. Il a fait plus de 1,8 million d'entrées. Même les flics qui l'ont vu étaient sur le cul devant autant de réalisme !

— Je reviens un peu en arrière : 1980. Tu l'as dit toi-même : *Le Dernier Métro* et la rencontre avec François Truffaut constituent sans doute l'un des tournants de ta carrière professionnelle. Pour la première fois, tu incarnes un personnage extrêmement positif, un héros, membre de la Résistance, et surtout un vrai sentimental...

— Avec Catherine Deneuve, c'est facile de devenir sentimental ! Blague à part, la rencontre avec François a été magique. Son intelligence, son charme, son sens du spectacle, son amour et sa connaissance parfaite du cinéma, sa passion pour Alfred Hitchcock et l'hommage qu'il lui avait rendu à travers *La mariée était en noir...* Truffaut était un génie absolu. Je l'adorais. J'étais l'un des rares à tutoyer François. On a tout de suite été amis. Je me souviens que, à l'époque, son personnage d'Antoine Doinel me laissait totalement de marbre. J'avais bien aimé *Les Quatre Cents Coups*, mais les aventures amoureuses d'Antoine Doinel dans *Baisers volés* me laissaient absolument froid. Je ne parvenais pas à l'aimer. En fait, je ne possédais pas les référents culturels et intellectuels pour l'apprécier à sa juste valeur. Plus tard, quand j'ai revu ses films, je me suis dit : « Mais tu es complètement con, c'est sublime... » Quand il m'a proposé le rôle de Bernard Granger dans *Le Dernier Métro*, François m'a demandé de me renseigner sur la période de l'Occupation. Il m'a conseillé de lire *Moi, sous l'Occupation*, de Sacha Guitry...

— Il y a, dans ce film, l'une des plus belles scènes d'amour du cinéma français...

— Catherine et moi, sous la table ? C'est une jolie scène, oui. On l'a jouée dans la simplicité et la complicité. Comme un aboutissement. François n'a pas assisté à la scène. Il l'a dirigée au casque, dans une pièce voisine, à la manière dont son personnage de directeur de théâtre, Lucas Steiner (*Heinz Bennent*), le mari juif de Marion, dirigeait sa troupe, caché dans sa cave. A l'oreille, sans rien voir. Par souci de perfection. En fait, il avait réussi à recréer à la fois l'atmosphère d'un théâtre et celle de l'Occupation.

— Le résultat est d'un érotisme inouï...

— C'est beau, oui. Mais le plus beau, c'est cette claque magnifique qu'elle m'administre après avoir fait l'amour avec moi. Un peu comme dans *La Femme d'à côté* (1981) : la scène où je gifle Fanny Ardant. François, comme André Téchiné, avait des fulgurances comme ça. A elle seule cette gifle que Marion Steiner (*Catherine Deneuve*) administre à Granger dit tout de leurs rapports : elle est partagée entre sa fidélité conjugale et ses sens qui la poussent irrémédiablement dans les bras de Granger. Elle passe à l'acte, mais le regrette aussitôt... sans le regretter vraiment. Bernard Granger, c'était un vrai rôle de composition pour moi. Je ne me suis jamais trouvé séduisant. Je n'ai jamais été un conquérant avec les femmes. Au contraire... Avec les actrices qui se sont retrouvées dans mes bras, j'ai toujours été plus gêné qu'amoureux. Heureusement, Catherine m'a facilité les choses. Je crois que ce film a changé ma vie. Il m'a aidé à découvrir que je pouvais jouer des personnages positifs, responsables, animés de bons sentiments. Que je pouvais plaire aux femmes aussi. Que j'étais capable de tourner un film sans mourir, sans me mutiler, sans me suicider... Il m'a décomplexé. C'est d'ailleurs à partir de ce film que je me suis senti apte à tourner dans des comédies. Ce n'est pas un hasard...

— Le scénario du *Dernier Métro* est bâti sur une relation triangulaire entre Marion, Lucas – son mari – et Bernard. Est-ce qu'on peut y voir une allégorie d'une autre relation triangulaire entre Catherine Deneuve, François Truffaut et toi ?

— Si tu l'as vu ainsi, c'est sans doute qu'il y a du vrai. Je ne suis pas le mieux placé pour te répondre.

— Peut-on dire que sur ce film est née, entre Catherine et toi, une vraie passion professionnelle, amicale et même sentimentale ?

— Une passion professionnelle sans doute. Sitôt le tournage terminé, nous avons enchaîné avec *Je vous aime* de Claude Berri, et, quelques mois plus tard, avec *Le Choix des armes* d'Alain Corneau avec Yves Montand, avant de nous retrouver en 1984 sur *Fort Saganne*. Quant à la passion amicale ou sentimentale, ce sont les personnages qui nous conduisent à ça. On ne peut pas rester insensible à ces passions-là. Cela ne signifie pas qu'il faille les vivre. Il suffit de les vivre au cinéma. Il suffit aussi que quelqu'un comme François Truffaut vous regarde à travers sa caméra pour déclencher ce type de passion. Truffaut fait partie de ces metteurs en scène rares qui te rendent beau. En tout cas, c'est le premier à m'avoir transmis un certain optimisme sur moi-même. Un jour, il m'a dit : « Gérard, il faut que tu te coupes les cheveux. La princesse Grace de Monaco a vu *Le Dernier Métro*, elle t'a trouvé drôlement bien, mais elle dit que tu dois te couper un tout petit peu les cheveux »... J'ai obéi évidemment. (*Rires.*)

— Il paraît que pour obtenir ce qu'il souhaitait de ses acteurs, il jouait chacun des personnages. Est-ce vrai ?

— Oui, oui, c'est vrai. C'était facile, il suffisait de faire comme lui. Sauf quand je devais gifler Fanny. Là, c'était difficile. J'ai dit à François : « Tu as vu la taille de mes mains ? Je ne peux pas faire une chose pareille. — Si, si, je t'assure, tu peux y aller. » Même Fanny me disait : « Allez, vas-y, frappe-moi ! »... Je n'y arrivais pas. Je l'ai frappée sur le bras, je n'osais pas frapper son visage. J'en étais incapable...

— Pourquoi, à l'issue de ce film, as-tu dit de Catherine Deneuve : « C'est l'homme que j'aurais rêvé d'être » ?

— Parce que c'est la vérité. Catherine est d'une féminité admirable. Mais, sur un plateau de tournage, sans jamais abdiquer sa féminité, elle sait être très directive. Elle a le talent pour se le permettre. Ce n'est pas le cas de toutes les actrices. J'en connais qui se contentent d'être dans un rapport de séduction avec les acteurs, les réalisateurs et les techniciens. Et je connais des acteurs qui se complaisent dans ce type de relations. Pas moi. Lors de la sortie du *Dernier Métro*, plein de gens étaient persuadés qu'il y avait une vraie histoire d'amour entre Catherine et moi. Cela prouve simplement que le film de François était réussi, que Catherine et moi étions crédibles...

— César du meilleur acteur, de la meilleure actrice et du meilleur film !

— Pour une fois qu'une récompense est justifiée et méritée !

4

LA CONFUSION DES SENTIMENTS

> « Je fais, en traversant les groupes et les ronds,
>   Sonner les vérités comme des éperons. »
>
> Edmond ROSTAND, *Cyrano.*

Tanger, le 23 mai 2004. Dans la casbah, un riad, somptueusement décoré à l'orientale, que Gérard Depardieu occupe, pendant toute la durée du tournage du film d'André Téchiné. De la terrasse, on domine la ville et le port de Tanger. Dans l'air, une odeur de fleur d'oranger. En fond sonore, le muezzin...

Laurent NEUMANN — 1980 : *Le Dernier Métro* de François Truffaut avec Catherine Deneuve et *Inspecteur La Bavure* de Claude Zidi avec Coluche. Où est la cohérence au juste ?

Gérard DEPARDIEU — Jouer, la même année, le résistant Bernard Granger dans *Le Dernier Métro* et Roger Morzini, l'ennemi public n° 1, dans une comédie de Claude Zidi, ça déconcerte, hein ? Mais ça déconcerte qui, d'ailleurs ? *Les Cahiers du cinéma*, pas le public !

Pour les critiques, il y a le cinéma et le sous-cinéma. Dès qu'un film rencontre un grand succès populaire, il devient suspect. Je constate néanmoins que la frontière entre le cinéma et le sous-cinéma est difficile à saisir. Le film de Zidi, comme la plupart des comédies, a été méprisé par la critique. Mais figure-toi que *Le Dernier Métro* a lui aussi été éreinté par certains journalistes. Autrement dit, quand Truffaut fait Antoine Doinel, c'est un grand réalisateur, mais lorsqu'il fait des millions d'entrées et que *Le Dernier Métro* croule sous une pluie de césars, il devient douteux à son tour... En 1977, quand j'ai fait *Le Camion* de Marguerite Duras, le film a été hué à Cannes. Alors, je vais te dire, la cohérence, elle est très simple : moi, je fais mon métier. Rien que mon métier. Avec des réalisateurs que j'admire, dont je reconnais le talent, des metteurs en scène qui me séduisent et que j'ai envie de séduire. Truffaut et Zidi, Alain Resnais et Francis Veber, André Téchiné et Jean-Paul Rappeneau, Maurice Pialat et Claude Berri, Bertrand Blier et Alain Chabat... Je les respecte tous. Voilà la cohérence ! Je n'ai honte de rien, je ne regrette rien, je suis fier de tout. Pourquoi devrais-je me cantonner à une demi-douzaine de réalisateurs ? Pour satisfaire les goûts élitistes d'une demi-douzaine de critiques, dépositaires du bon goût cinématographique ?

— Je comprends ton point de vue. Néanmoins, tu ne peux pas placer sur le même plan le cinéma de Truffaut, de Sautet ou de Téchiné, et les grandes comédies populaires de Francis Veber comme *La Chèvre* (1981), *Les Compères* (1983) ou *Les Fugitifs* (1986)...

— Tu as évidemment raison. Et après ? Quoi, faut-il mettre Veber et Zidi en quarantaine ? Refuser de tourner avec eux parce qu'ils font rire des millions de gens ? Pour moi, je te le dis comme je le pense, Francis Veber, c'est notre Billy Wilder à nous, Français. De même, je considère que Claude Zidi a réussi des prouesses avec Coluche dans *Inspecteur La Bavure*, mais comme ils réalisent des comédies, on regarde leur travail au pire avec mépris, au mieux avec condescendance. Il n'y a qu'en France qu'on ostracise ainsi les gens, qu'on les colle dans des cases. En 1979, juste après le tournage de *Loulou* avec Pialat, je suis parti en Italie faire le film de Mario Monicelli, *Rosy la Bourrasque*. Un film dont personne ne se souvient, et pour cause : personne n'est allé le voir. Quand le festival de Venise m'a décerné un Lion d'or, les organisateurs m'ont demandé lequel de mes films j'aurais aimé voir projeter à la remise du prix. Je leur ai suggéré *Rosy la Bourrasque*, dans lequel j'interprète le rôle de Raoul Lamarre, un boxeur discrédité qui tombe amoureux d'une catcheuse. Je dois dire qu'on s'était bien marrés en faisant ce film. Quand Raoul s'énerve, il se met à bé-bé-bé-gayer. Eh bien, le public vénitien, lui, était enthousiaste... Tu imagines toutes ces grandes comédies italiennes qui sont passées à la postérité ? Elles ont rendu célèbres Ugo Tognazzi, Alberto Sordi, Marcello Mastroianni... Je les ai retrouvés, tous les trois, en 1979, dans *Le Grand Embouteillage* de Luigi Comencini. C'était un pur bonheur de jouer avec eux. Etait-ce du grand cinéma ou du sous-cinéma ? Je n'en sais rien, moi. *Mes chers amis*, de Mario Monicelli (1975), avec Noiret, Tognazzi et Blier, c'était du cinéma ou du sous-cinéma ? Et le fameux gag du quai de la gare où les cinq compères collent des gifles aux voyageurs du train qui démarre, c'est une trouvaille extraordinaire, oui ou non ?

— J'imagine aussi que des tournages comme *La Chèvre* sont l'occasion, pour toi, de décompresser. D'évacuer certains rôles plus lourds à assumer que d'autres...

— C'est vrai. Et puis, la plupart du temps, on rigole bien sur ce genre de films. Avec Pierre Richard, il y a eu de grands moments. Je me souviens par exemple du tournage de *La Chèvre* au Mexique. Pierre et moi partagions la même caravane. Pendant que je me faisais maquiller, il s'envoyait en l'air dans la pièce d'à côté avec sa jeune fiancée. La caravane bougeait dans tous les sens et la coiffeuse me fichait la brosse à cheveux dans les yeux.

— En 1981, il y a *La Chèvre* de Francis Veber, *Le Choix des armes* d'Alain Corneau avec Montand et Deneuve. La même année, tu retrouves aussi Truffaut pour *La Femme d'à côté*. Mais il y a surtout *Le Retour de Martin Guerre*, film qui va te valoir le prix de la Société des critiques américains. Or, bizarrement, c'est le moment où, en France, les critiques de cinéma, de *Télérama* à *Libération*, commencent sérieusement à t'égratigner...

— C'est simple : ils ne comprennent rien à ma carrière. En gros, ils disent : lui qui a joué avec l'immense Patrick Dewaere, comment peut-il se fourvoyer avec Pierre Richard ? Lui qui a tourné avec Pialat et Resnais, comment peut-il s'abîmer dans des films populaires, donc forcément mineurs ? Je caricature à peine... Le film de Daniel Vigne qui d'ailleurs, à l'origine, devait être réalisé par Milos Forman, a eu beaucoup de succès aux Etats-Unis. Sans doute parce qu'il raconte une histoire vraie, celle de l'arrivée du protestantisme dans la France du XVIᵉ siècle, juste avant la Saint-Barthélemy. La question centrale du film est la suivante : quel mal y a-t-il à rendre heureuse une femme que son mari a abandonnée ? Mais au-delà de ce thème, le film restitue à merveille toute la connaissance dont on dispose sur cette période de l'histoire, à travers notamment les ouvrages de Georges Duby. Je me souviens être allé au Collège de France faire une conférence pour expliquer comment j'avais travaillé pour restituer la manière d'être un Français à cette époque. Tu imagines la scène surréaliste : moi qui ne suis jamais allé à l'école, je me suis retrouvé au Collège de France pour parler du Moyen Age devant des sommités... J'avais remarqué, dans les tableaux de Jérôme Bosch, qu'au Moyen Age les hommes n'étaient pas tout à fait debout, qu'ils faisaient des grimaces pour faire passer leurs sentiments. Ce film, c'était plus une affaire d'expression corporelle et de gestuelle qu'une affaire de texte ou de dialogues. De nombreuses actrices avaient d'ailleurs été pressenties pour le rôle de Bertrande : Isabelle Adjani, Miou-Miou... La plupart ne voulaient pas faire le rôle parce que Bertrande ne parlait pas assez. Nathalie Baye, elle, a accepté, et elle a bien fait. Elle y est lumineuse, et le film est remarquable d'authenticité.

— Je me trompe peut-être, mais j'ai l'impression que tu n'es jamais aussi bon dans un rôle que lorsque tu donnes la réplique à une grande comédienne...

— C'est drôle que tu dises ça. C'est vrai qu'elles me transcendent. J'adore le miroir que te tend une actrice sur un plateau. De toute façon, de manière générale, je me sens plus à l'aise avec les femmes qu'avec les hommes. Y compris dans ma vie privée. Les choses ont toujours été plus simples avec mes filles, Julie et Roxane, qu'avec Guillaume. Je vais te paraître ridicule, mais je crois que je suis moi-même très féminin. Je comprends mal les problèmes des mecs. Paradoxalement, je trouve que les mecs, surtout les acteurs, ont plus de problèmes de séduction que les femmes. Chez les écrivains, c'est la même chose. Quand je regardais *Apostrophes* de Bernard Pivot ou quand je regarde *Campus* de Guillaume Durand, je suis toujours étonné de voir à quel point les écrivains mâles ont besoin de séduire à tout prix. Les femmes ne sont pas dans cette logique. Les acteurs sont encore pires. Ils sont d'une impudeur inouïe. Les vrais mecs sur un tournage, ce sont les femmes. Dans leur jeu comme dans la direction d'acteurs, elles sont plus solides que les hommes.

— Marlène Jobert, Ornella Muti, Catherine Deneuve, Isabelle Adjani, Nathalie Baye, Isabelle Huppert, Glenn Close, Andie Mac Dowell, Fanny Ardant, Sophie Marceau, Sigourney Weaver, Carole Bouquet... Tu as tourné avec les plus belles actrices du cinéma français et international, et la liste n'est pas exhaustive !
— J'ai eu beaucoup de chance, c'est vrai...

— Tu as dit cependant : « Avec les actrices, je me sens plus proche dans la rigueur que dans un lit. Quand on joue, on est si proches qu'on est déjà allongés, ce n'est pas la peine de passer à l'acte. » C'est vrai, ce mensonge... ?
— Oui, c'est vrai. (*Rires.*) Au cinéma en tout cas, c'est vrai. Ou alors, tu deviens Rocco Sifredi. C'est indécent. Je sais que certains acteurs se vantent en racontant leurs aventures sur les plateaux de cinéma. Ce n'est pas mon cas. Sur le tournage de *Green Card* (1990) par exemple, Peter Weir craignait que je saute sur Andie Mac Dowell. Je l'ai tout de suite rassuré. Dans le film, il fallait qu'on sente, entre nous, le désir monter peu à peu. Tu ne peux plus faire monter le désir quand tu as couché avec la comédienne qui joue avec toi. A l'écran, ça se remarque tout de suite quand l'acteur et la comédienne sont amants à la ville. Tu le sens à leur regard, à leur complicité. Quelque chose a changé et ça change tout ! Le ressort est cassé. Il faut s'appeler Gena Rowlands et John Cassavetes pour passer outre et parvenir à jouer les amoureux dans un film...

— L'acteur, comme tu le disais, est dans la séduction permanente. C'est un homme à femmes en puissance, non ?
— Mais non. C'est d'abord un homme à histoires. Les actrices, il les possède à l'écran. Ça ne veut pas dire

qu'il couche avec elles entre chaque scène. C'est la légende, ça ! Regarde Marcello Mastroianni, il aurait pu être un homme à femmes. Rien du tout, il n'a été que l'homme de quelques femmes. Moi, si j'étais un homme à femmes, ça se saurait, depuis le temps...

— Tu as dit pourtant : « Les femmes se foutent de la beauté d'un homme, ce qui leur importe c'est la beauté des femmes qu'il a eues »...

— J'ai dit cela après avoir lu une nouvelle de Milan Kundera. Les femmes sont très attirées par les acteurs et par les hommes à femmes. Ça ne veut pas dire que tous les acteurs sont des hommes à femmes.

— N'empêche que Sharon Stone a récemment avoué dans un journal américain : « Je me laisserais volontiers entraîner par Gérard Depardieu, dix minutes dans une ruelle. J'adore son côté paysan. »

— Chacun ses fantasmes ! J'ai rencontré Sharon Stone, Julia Roberts, Uma Thurman et la plupart des grandes stars de Hollywood. Mais je ne suis pas un homme facile. (*Rires.*) Avec Andie Mac Dowell, c'était incroyable : dès que je lui adressais la parole, elle rougissait comme une pivoine. Peter Weir, le réalisateur, était toujours sur ses gardes. Je lui disais : « Ne t'inquiète pas, Peter, je le fais exprès. C'est pour le rôle. Il faut qu'elle le désire, ce petit frenchy, mangeur de grenouilles. » Plus sérieusement, je crois qu'on ne prête qu'aux riches. Les gens ont tendance à confondre nos rôles et nos vraies vies. Ils pensent souvent que les personnages qu'on incarne prolongent leur existence au-delà de l'écran. Tu n'imagines tout de même pas que j'ai couché avec toutes les actrices avec lesquelles j'ai tourné...

— Je n'imagine rien. Ce que je sais, en revanche, c'est qu'en 1986, quand sort *Tenue de soirée*, le film de

Bertrand Blier, la France entière est persuadée que Depardieu est homosexuel !

— C'est typique. J'interprète un rôle et tout le monde pense que je suis le personnage. *Tenue de soirée* a fait scandale. Pour de bonnes ou de mauvaises raisons, la polémique faisait rage dans les médias. Admettons. Mais le pire c'est que, dans les rédactions, le bruit a couru que Depardieu était devenu pédé. Et c'est une histoire qui a duré longtemps, tu sais.

— Je sais, et elle dure encore. Mais pardon de te poser la question aussi franchement : c'est vrai ou c'est faux ?

— C'est faux. Mais, à la limite, peu importe. Si je tue un enfant dans un film, suis-je un tueur d'enfants dans la vie ? C'était très beau de jouer ce rôle avec Michel (*Blanc*). Il était lumineux dans le film. Ce n'est pas par hasard s'il a décroché le prix d'interprétation masculine au festival de Cannes cette année-là. L'homosexualité qui est montrée dans ce film, ce n'est pas celle de la Gay Pride, du Marais ou du mariage médiatique de Bègles. C'est celle dont on ne parle jamais dans les médias. Je crois, moi, que ce film a quinze ans d'avance sur son époque... Tout le monde était persuadé que Michel Blanc était mon amant en dehors du plateau. Je le sais, je l'ai entendu comme toi. Et alors ? Va savoir ! Peut-être qu'un jour, je vais devenir complètement pédé. De toute façon, on a tous, au fond de l'âme, un côté masculin et un côté féminin.

— Tu veux dire qu'on est tous potentiellement bisexuels...

— Oui. Moi, j'aime autant les hommes que les femmes. Ça ne veut pas dire nécessairement que ces affinités sont d'ordre sexuel. D'ailleurs, la plupart des homos que je connais ont une grosse sexualité. Or, ce n'est pas du tout mon cas. J'ai des amis homosexuels, des amis très proches, qui savent que je ne le suis pas. Ma vie entière est faite ainsi, je me sens bien avec tout le monde. Je n'ai pas de goût particulier pour l'homosexualité, mais je peux tout à fait entendre les confidences de quelqu'un qui souffre d'amour pour quelqu'un du même sexe et essayer de l'aider !

— Juste après *Tenue de soirée*, tu enchaînes avec *Les Fugitifs* de Francis Veber. Le fait de tourner une comédie presque chaque année modifie ton statut et ton image. Tu deviens un véritable acteur populaire, dans tous les sens du terme. Un peu, allais-je dire, à la manière de Jean-Paul Belmondo...

— Acteur populaire, peut-être. Mais la comparaison avec Belmondo est inopérante. Belmondo avait beaucoup de talent, mais il est allé vers la facilité...

— Il a tout de même tourné avec Godard...
— Il y a longtemps !

— Il a fait *Stavisky* avec Alain Resnais...
— Il a fait *Stavisky* pour essayer de retrouver une certaine image. Après, il a dit : « Bon, j'ai fait Stavisky. Maintenant, laissez-moi faire ce que je veux. » Belmondo est arrivé à une époque où les acteurs avaient le cul entre deux chaises. Entre télévision et cinéma, il fallait choisir. Moi, à choisir, je préférais l'époque de Jean Gabin et de Michel Simon. Au moins, de leur temps, il y avait de vrais seconds rôles, Dalio, Carette...

— Belmondo a été, selon toi, victime du même syndrome que Delon...
— D'une certaine manière, oui. Mais les rôles de justiciers que Delon se créait sur mesure dans des films de gangsters lui allaient comme un gant. Belmondo et Delon étaient des symboles. A eux deux, ils incarnaient

la France des années 70 et du début des années 80. Aujourd'hui, les acteurs sont des kleenex, ils sont jetables et interchangeables. Désormais, ce qui compte, c'est l'argent de la télévision. Ce sont des énarques et des HEC qui décident si un film va se faire ou non. La plupart ne connaissent rien au cinéma, ils ne comprennent pas les artistes. Je suis un des rares acteurs à pouvoir mener de front une carrière à la télévision, au cinéma et au théâtre. Pourquoi ? Parce que c'est de plus en plus difficile de résister aux financiers du cinéma, de tenir tête aux groupes multimédias.

— Sauf à devenir soi-même producteur...

— Ce n'est pas une garantie d'indépendance artistique. Même lorsque tu es producteur d'un film, tu restes tributaire des grandes compagnies pour ton financement. Et si, par bonheur, tu parviens à t'en affranchir, au bout du compte tu dois passer sous leurs fourches caudines pour assurer la distribution de ton film ! Ce n'est pas un hasard si Alain Delon a décidé d'arrêter le cinéma pour ne se consacrer qu'à la télévision. Il a perdu l'envie. Moi, à sa place, avec la notoriété qui est la sienne en Asie et au Japon notamment, j'aurais contacté depuis longtemps les jeunes cinéastes japonais, la nouvelle vague nipponne, pour entamer une nouvelle carrière avec eux. On s'est croisés une ou deux fois, Alain et moi, on avait même des projets communs qui ont, hélas, avorté. En tout cas, je trouve terriblement dommageable que le cinéma se passe d'un type de son talent...

— Continuons à dérouler la bobine, si tu veux bien. En 1986, après *Tenue de soirée* de Blier et *Sous le soleil de Satan* de Pialat, il y a sans doute l'une des plus belles rencontres de ta carrière artistique : *Lili Passion*, le fameux récital au Zénith avec Barbara. Comment vous êtes-vous rencontrés tous les deux ?

— Je l'ai rencontrée la première fois, dans sa loge, après un concert à Pantin en novembre 1981. Plus tard, au cours d'un dîner, elle m'a fait part d'un projet qui lui tenait à cœur : une comédie musicale chantée, l'histoire de *Lily Passion*, une chanteuse qui rencontre David, un assassin. Tout de suite, je lui ai dit « oui ». Notre histoire commune a démarré aussi simplement que ça. Un respect commun, un amour total fondé sur la connaissance de l'autre, une envie artistique partagée et une complicité merveilleuse... Elle a travaillé pendant des mois, écrit des pages et des pages, enregistré des centaines de cassettes. D'un coup de moto, j'allais la voir dans sa maison à Précy. Ensuite, je suis parti en Mauritanie pour tourner *Fort Saganne* et elle a continué à m'envoyer des cassettes. A mon retour, nous avons répété chez elle, à Précy. La première a eu lieu au nouveau Zénith de la porte de Pantin, le 21 janvier 1986. Le tout-Paris était là : Laurent Fabius, Jack Lang, Robert Badinter, Simone Veil, Roger Hanin et Danielle Mitterrand, Catherine Deneuve, Fanny Ardant, Jean Carmet, Yves Montand, Juliette Gréco, Michel Jonasz, Bernard-Henri Lévy, Marguerite Duras... On a joué un mois à Paris puis, à partir de février, en province, en Suisse et même en Italie. Grâce à elle, à son talent, à sa voix, à sa formidable tolérance, j'ai vécu des moments d'émotion exceptionnels. Chaque soir, elle m'emmenait sur « son île aux mimosas ». Je crois pouvoir le dire aujourd'hui : « Ma plus belle histoire d'amour », c'est elle... J'ai rarement vu une femme aussi courageuse, aussi travailleuse. Un pur esprit. Chacun de ses mots, chacune de ses phrases, était un vrai bijou, ciselé avec passion. Tu verras, on ne cessera jamais de redécouvrir son œuvre. Aujourd'hui encore, j'ai du mal à écouter ses chansons, elles me donnent la chair de poule... Au-delà de son absence qui me pèse terriblement, Barbara fait partie des gens dont l'œuvre aide à vivre. Mais ce qui me manque le plus, c'est son rire. Les fous rires formidables que l'on partageait ensemble. Elle était la fantaisie même, et cette fantaisie me manque affreusement. Son extraordinaire humilité aussi... C'est un métier où il en faut beaucoup, et c'est malheureusement une des vertus les moins bien partagées.

— Toi-même, tu en as manqué parfois ?

— Quand j'étais jeune, oui, sans doute un peu. Comme tout le monde. La jeunesse est arrogante, elle manque de distance avec les événements. Il m'est sans doute arrivé d'être insupportable de prétention. Comme Barbara, j'avais néanmoins un léger avantage sur mes petits camarades : j'avais un peu vécu avant de me lancer dans ce métier, j'avais un passé avant de devenir célèbre ! Mon éducation, c'était la rue. Dans la rue, si tu ne fais pas attention aux autres, tu es immédiatement sanctionné. Si tu n'y prends pas garde, ce métier t'aspire irrémédiablement comme un tourbillon. Il te fait perdre le sens des réalités. On te paie grassement, on te traite comme un chef d'Etat. C'est un métier d'assistés, et il y a très peu de gens qui sont capables de résister à ça. Il vaut mieux avoir la tête bien vissée sur les épaules...

— Toi, de ton côté, tu as su résister ou, comme les autres, tu as perdu pied ?

— Tu as lu ce qu'écrit Guillaume dans son livre. S'il le dit, c'est sans doute que c'est vrai. Oui, moi aussi, comme les autres, j'ai perdu pied. A un moment du moins, quand je suis devenu père à vingt-deux ans. Ce métier m'a littéralement aspiré. J'ai cessé d'être présent pour tous ceux qui avaient besoin de moi. Aujourd'hui, j'ai cinquante-cinq ans et je crois être en mesure d'analyser sereinement mes erreurs. Je sais quelles ont été mes carences. Je sais ce que j'ai donné à ce métier et que je n'ai pas donné à mes enfants. C'est pour cela que je n'en veux pas à Guillaume d'avoir écrit ce livre. Je dirais même que c'est parce qu'il est allé aussi loin dans ses propos que je ne lui en veux pas. Ni de ce qu'il a pu écrire, ni de ce qu'il a pu faire. Je ne crois pas être le monstre qu'il décrit, mais j'ai assurément commis des erreurs que j'assume.

— A partir de quel moment, précisément, as-tu éprouvé le sentiment qu'on te traitait comme une vedette ?

— Je crois que c'est sur *1900* de Bernardo Bertolucci. Quand le bras droit de Bertolucci est venu me voir pour négocier mon contrat, je lui ai dit : « Ecoute, c'est simple, je sais que Bernardo ne veut personne d'autre que moi. Donc, je veux le même tarif que l'Américain. » L'Américain, c'était Robert de Niro. Bob m'a dit : « T'es fou, Gérard ! » J'ai obtenu exactement ce que je réclamais.

— Et là, du jour au lendemain, tu es passé de l'autre côté du miroir...

— Oui, mais en même temps, les vraies vedettes, c'était Bob de Niro, Donald Sutherland, Burt Lancaster, Sterling Hayden... Regarde ! (*Gérard tourne les pages d'un magnifique album photo posé sur la table basse, et il commente chacun des clichés.*) Moi, je n'avais pas de caprices de star. En revanche, je l'avoue, je faisais à peu près ce que je voulais sur le tournage. Mon plaisir à moi, c'était de me sauver du tournage pour aller casser la croûte avec des paysans de Parme...

— Jamais de caprices ?

— Non. Mais c'est vrai que j'étais victime de ma propre nature. J'avais vingt-huit ans, une santé d'enfer. Il m'arrivait de passer des nuits blanches à boire plus que de raison...

— Et forcément, ça se sentait, le lendemain matin, sur le plateau...

— Je vais t'étonner, mais pas du tout ! Ou plutôt si, une fois. Avec Yves Montand dans *Le Choix des armes* d'Alain Corneau (1981). Là, j'ai vraiment eu honte. Montand, pour moi, c'était une référence. Je l'avais adoré dans les films de Claude Sautet... Avec Corneau, on tournait la nuit, je m'ennuyais, j'avais bu pour passer le temps. Cette nuit-là, on devait tourner la fameuse scène où il me tire une balle dans le gras du ventre. Je prenais un temps considérable pour dire mon texte, je n'étais pas très net, on a refait la scène plusieurs fois. Là, dans les yeux de Montand, j'ai vu ma honte. Je me suis dit : « Plus jamais ça ! Boire et travailler, jamais plus. » J'ai retrouvé Montand en 1986 pour *Jean de Florette* : j'ai tenu parole. Même lorsque les tournages sont difficiles, je ne bois plus. Du moins, j'essaie. Entre deux films, oui, je l'avoue. Mais pendant un tournage, j'évite ! Là, tu vois, ça fait quinze jours que je suis à Tanger avec l'équipe d'André Téchiné pour *Les temps qui changent* : je n'ai pas bu une goutte d'alcool depuis deux semaines. Pas un seul verre de vin, pas la moindre bière bien fraîche, rien...

— Je confirme : que de l'eau, un vrai chameau ! En parlant de « tournage difficile », après *Sous le soleil de Satan* de Pialat, tu es parti t'oxygéner pendant près de quatre mois à l'étranger. Au retour, en septembre 1987, tu démarres le tournage d'un des films majeurs de ta carrière, *Camille Claudel*. Comment se sont passées vos retrouvailles avec Isabelle Adjani ?

— Dix ans auparavant, nous avions fait *Barocco* ensemble. Pour *Camille Claudel*, c'est Isabelle qui est venue me chercher. Elle vivait alors avec le réalisateur du film, Bruno Nuytten. Moi, je tournais *Sous le soleil de Satan* avec Pialat. Elle est venue me chercher à Montreuil-sur-Mer, à l'Hôtel de France. J'étais tellement imprégné de mon rôle de l'abbé Donissan que je vivais, quasiment nuit et jour, en soutane. Elle est arrivée comme une princesse : « J'ai besoin de toi pour Rodin. » Et, tout à coup, la ville de Montreuil-sur-Mer est tombée dans le noir complet. Tout avait disjoncté, plus d'électricité. Il s'est mis à neiger, on a fait venir des bougies et on a passé la nuit ensemble à discuter de Camille Claudel et de Rodin. Elle était pénétrée par son sujet, elle en parlait très bien. Elle voulait que je lise un certain nombre de livres sur Rodin, la Troisième République, la place des femmes dans la France de la fin du XIXe et du début du XXe siècle... Je dois dire qu'elle n'a pas eu grand mal à me convaincre.

— La rencontre sur le tournage ?

— Magnifique. Sa composition d'une Camille Claudel, élève puis maîtresse de Rodin qui, peu à peu, sombre dans la folie, est en tous points remarquable. Cinq césars dont celui du meilleur film et de la meilleure actrice ! Je crois que c'est un rôle qui l'a beaucoup marquée...

— Aussitôt le film terminé, tu rejoins Catherine Deneuve, en février 1988, sur le tournage de *Drôle d'endroit pour une rencontre*. Après la mort de tes parents, tu enchaînes avec *I want to go home* d'Alain Resnais et une nouvelle comédie de Claude Zidi, *Deux*. Mais l'année 1988 scelle surtout tes retrouvailles avec Bertrand Blier pour *Trop belle pour toi*...

— Oui, encore un triangle amoureux, mais avec deux femmes cette fois : Josiane Balasko et Carole Bouquet. Une histoire d'adultère dans laquelle un homme choisit de tromper sa femme, pourtant d'une beauté quasi parfaite, avec une secrétaire au physique banal.

— Est-ce le début de ce que tu as appelé ton amitié amoureuse avec Carole ?

— Non. Carole était encore avec le producteur Jean-Pierre Rassam. Et puis, je n'ai pas très envie de parler de ça. J'ai connu Jean-Pierre avant Carole, ou en tout cas, presque en même temps, et surtout, Carole, c'est ma vie privée. Je ne veux pas parler d'elle sans son accord...

— Quand l'as-tu rencontrée pour la première fois ?

— Je crois que c'était dans les studios de Boulogne-Billancourt, en 1977, lorsqu'elle tournait avec Luis Buñuel *Cet obscur objet du désir*.

— Avant *Trop belle pour toi* de Blier, tu avais déjà tourné avec elle...

— Oui. Dans *Buffet froid* de Blier en 1979 et dans *Rive droite, rive gauche* de Philippe Labro en 1984. Carole faisait partie de ces femmes qui m'impressionnaient. Son rire surtout. Dans *Buffet froid*, je me souviens d'une scène où Carmet, Carole et moi étions dans une barque. Blier nous filmait au téléobjectif. Jean et moi n'étions pas très frais, on passait nos nuits à picoler et à refaire le monde. Aussi, pour assurer le coup et éviter le trou de mémoire, j'avais collé des antisèches avec mon texte dans le bateau. Or, tout à coup, le bateau est tombé en panne. Et là, énorme fou rire, gigantesque. Impossible de s'arrêter... Mais, encore une fois, je n'étais pas là pour séduire qui que ce soit. Je bossais avec mes copains, ça me suffisait. Je voyais bien que Carole avait des problèmes personnels, mais je me gardais bien de m'en mêler. Pour moi, ce tournage, c'était avant tout Bernard Blier et Jean Carmet, les garnements insupportables. Carole était très séduisante avec ses grands yeux verts, ses longs cheveux bruns qui descendaient en cascade. J'étais séduit, c'est évident, mais je n'avais aucun désir de conquête.

— Votre histoire d'amour a commencé plus tard...

— Je te l'ai dit, j'ai toujours entretenu des amitiés amoureuses avec les actrices. Mais mes histoires d'amour, comme tu dis, c'est mon jardin secret, ma vraie vie privée, et ça, je ne veux pas en parler.

— Revenons au cinéma alors : le premier grand tournant de ta carrière, on l'a vu, c'est *Le Dernier Métro* de Truffaut. Peut-on dire que le deuxième virage professionnel, c'est *Cyrano*, de Jean-Paul Rappeneau ?

— Oui, ça ne fait pas de doute. *Cyrano*, c'est le sommet du lyrisme. Le texte d'Edmond Rostand occupe une place particulière dans l'imaginaire français. Au moment où on décide de le monter, *Cyrano* a tout juste un siècle, il a été écrit en 1890, mais il est toujours d'actualité. Cyrano est un homme du Grand Siècle, à la fois soldat et poète. Il tue avec son épée et séduit avec sa plume. Faible et fort à la fois. J'avoue d'ailleurs m'être un peu identifié à lui et à ce nez qu'il porte comme un fardeau. Le projet de Rappeneau était ambitieux pour le cinéma. Avec Jean-Paul, nous étions allés voir Jacques Weber au théâtre. C'était sublime, mais à l'écran ? L'acte théâtral n'a rien à voir avec le cinéma. Comment faire passer la finesse de ce texte en alexandrins ? Jean-Paul pensait qu'il fallait des acteurs et des actrices issus du théâtre classique. Pour Roxane, son choix s'est rapidement porté sur Anne Brochet, une jeune comédienne du Conservatoire. Puis, Jean-Paul Rappeneau a souhaité organiser des répétitions. Trois semaines à l'Opéra-Comique ! C'était utile, mais ce qui compte pour moi, c'est cet instant magique où la caméra tourne. Il suffisait de se laisser guider par la musique de Rostand. Tantôt *pianissimo*, tantôt *fortissimo*, mais sans jamais forcer la voix. Il faut être soi-même un instrument pour jouer Cyrano... Du jour au lendemain, lorsque toute l'équipe s'est retrouvée à Budapest, l'alchimie a fonctionné. Le tournage avait lieu à l'automne 1989, un vent de liberté balayait l'Europe de l'Est, un vent de création soufflait sur le plateau. L'émotion était palpable. Des centaines de figurants. Et le texte, surtout, le texte. Les répétitions, c'est bon pour apprendre les notes. Mais ce qui compte, c'est le jour où tu les interprètes. Jouer *Cyrano* au cinéma, c'était un peu comme mettre le théâtre dans la rue.

— Résultat : neuf césars dont celui du meilleur acteur, un golden globe, cinq nominations aux oscars... Ce n'était pas la première fois que les Américains entendaient parler de toi, mais c'était la première fois que, tout à coup, ils te considéraient à l'égal de leurs plus grands acteurs...

— En 1983, j'avais déjà eu droit à la couverture de *Time Magazine*. Le journal expliquait alors que j'incarnais *la nouvelle vague* du cinéma français à moi tout seul. Un journaliste m'avait collé aux basques pendant un mois, il m'avait suivi jusqu'en Mauritanie et au Sénégal où je m'occupais d'enfants malades. Mais cette fois, pour *Cyrano*, toute la presse américaine était unanime. L'accueil du film était inouï, les articles dithyrambiques, les commentaires sur le film ultraélogieux. Du moins jusqu'à cette histoire de viol dont on a déjà parlé et qui a tout foutu par terre...

— Coup sur coup, *Jean de Florette*, *Tenue de soirée* et *Cyrano* ont été très bien reçus outre-Atlantique. Y a-t-il alors eu, chez toi, l'esquisse d'un « rêve américain », l'envie d'aller conquérir Hollywood ?

— Non, je n'ai jamais fait de rêve américain. Pour te dire la vérité, Hollywood, je m'en fous un peu. Et puis, à cette époque, j'avais mille autres choses à faire en Europe : *Uranus* de Claude Berri, d'après Marcel Aymé avec Philippe Noiret, Michel Blanc et Fabrice Luchini ;

Merci la vie de Bertrand Blier, avec Anouk Grinberg et Charlotte Gainsbourg...

— Là, j'ai du mal à te croire. En 1990, tu tournes *Green Card*, réalisé par Peter Weir et produit par Walt Disney ; en 1992, tu incarnes Christophe Colomb dans *1492* de Ridley Scott ; en 1993, tu tournes, toujours pour Walt Disney, *My Father the Hero* de Steve Miner, le remake du film de Gérard Lauzier... Si ce n'est pas le début d'un rêve américain, ça y ressemble fortement, non ?

— Disons que, grâce à quelques films, j'ai commencé à jouir d'une certaine notoriété aux Etats-Unis. On m'a effectivement proposé des films avec de grands réalisateurs comme Peter Weir ou Ridley Scott... Mais à aucun moment je me suis dit que j'allais conquérir Hollywood. En revanche, j'ai commencé à élargir mon réseau d'amitiés à quelques grands noms du cinéma anglo-saxon. Ce qui m'a permis, plus tard, de faire *L'Homme au masque de fer* de Randall Wallace, un remake des *Trois Mousquetaires* avec John Malkovich, Gabriel Byrne et Leonardo DiCaprio (1997). Puis, *Les 102 Dalmatiens* de Kevin Lima, avec Glenn Close (2000).

— La plupart de ces films ne sont ni de grandes réussites artistiques, ni de grands succès commerciaux...

— C'est faux, la plupart ont bien marché. Après, je te laisse juge, c'est affaire de goût. Mais comprendsmoi bien : je n'ai jamais voulu percer à tout prix aux Etats-Unis. On m'a proposé des tas de projets américains que j'ai refusés... Des thrillers, des films de gangsters notamment. Ils n'ont pas besoin de moi pour faire ce genre de films, ils ont les meilleurs de la spécialité ! Et puis, la langue restait un obstacle. Dans le remake de *Mon père ce héros*, je comprenais à peu près mon texte. Mais dans la plupart des films américains que j'ai tournés, je ne comprenais pas un iota de ce que je disais ! Je regardais la bouille de mon partenaire pour savoir si ce que j'avais dit était à peu près juste. Mon souhait n'était pas de faire carrière aux Etats-Unis ou d'être aussi célèbre là-bas qu'ici. Mon souhait, c'était de rencontrer de nouvelles têtes, de construire de nouvelles familles d'acteurs, de réalisateurs et de producteurs. Elargir mon cercle... Je n'ai jamais eu d'autre ambition que celle-là !

— Pas d'ambition américaine, donc pas de déception américaine non plus ?
— Non ! Sauf évidemment après la cabale médiatique au moment des oscars dont je t'ai déjà parlé. Mais c'était moins de la déception que de la colère et de l'amertume. J'aime l'Amérique. Ou plutôt une certaine Amérique. Celle de Dos Passos et de John Steinbeck, celle de Gena Rowlands et de John Cassavetes... C'est pour ça que j'ai acheté et distribué le catalogue des films de Cassavetes (*Opening night*, *Une femme sous influence*, *Faces*...) et que, plus tard, j'ai fait le film de son fils, Nick Cassavetes, *Décroche les étoiles* : en l'honneur de cette Amérique-là ! Je suis un entremetteur et un passeur. Gena m'a fait lire le script de son fils, je me suis débrouillé pour que Hachette mette quelques sous dans l'affaire, et on a fait le film. Pour moi, la problématique était la même lorsque j'ai fait connaître, en France, les films de l'Indien Satyajit Ray : élargir mon propre horizon artistique.

— Gena Rowlands fait partie de tes idoles, je crois...
— Oh que oui ! Elle est un peu la mère de toutes les actrices. Comme Whoopi Goldberg aujourd'hui (avec laquelle j'ai tourné *Bogus* de Norman Jewison en 1995). Comme Sophia Loren en Italie. Comme, naguère, Anna Magnani. Ce sont des femmes qui ont une grâce inégalée, elles sont capables de soulever des montagnes.

— Finalement, l'idée de populariser Cassavetes ou Satyajit Ray t'intéresse autant que de tourner dans une comédie qui va faire des millions d'entrées...

— Bien sûr. En fait, je considère que ça fait partie de mon métier. Je suis vraiment un entremetteur. Un entremetteur au cinéma, dans ma vie privée, dans mes affaires. Ce qui me passionne, c'est de rencontrer des gens, de les mettre en contact pour faire naître de nouvelles aventures artistiques. Je suis comme ça depuis que je suis gosse. Quand je suis arrivé à Paris, en 1968, je me souviens d'avoir branché Pierre Brasseur dans un night-club. Je ne connaissais rien ni personne, et pourtant, nous avons passé la nuit entière à boire et à refaire le monde. C'est dans ma nature : il faut que je relie les gens entre eux...

— De la même manière, quand tu arrives à Tanger pour tourner un film, il faut que tu rencontres le roi Mohammed VI ou ses ministres pour leur parler de tes vignes. Lorsque tu tournes à Saint-Pétersbourg, il faut que tu branches l'un de tes amis avec le ministre idoine pour lui permettre d'obtenir l'autorisation de commercer avec le port de la ville...

— Je ne vais pas me refaire, je suis comme ça. Mais rassure-moi, ce n'est pas un défaut d'aider ses amis ? J'ai toujours l'impression que mon hyperactivité choque les gens. On voudrait me cantonner à une seule activité. Acteur, rien d'autre. Je suis désolé : moi, je ne sais pas faire qu'une seule chose. Au moins, ce métier sert à ça. Il ouvre toutes les portes. Pourquoi s'en priver ? Mon modèle, c'était Peter Ustinov. Il ne se contentait pas de son statut d'acteur, il s'en servait pour voyager dans le monde entier, participer à mille aventures différentes. Comme lui, je refuse de n'être qu'un acteur. Je veux être cosmopolite et multicarte (*rires*), avoir des amis dans tous les milieux, connaître l'aventure du football à

Auxerre, le pétrole à Cuba, le vin en Algérie ou au Maroc...

— On reviendra sur cet aspect de ta personnalité, mais je voudrais qu'on poursuive sur le cinéma. Durant l'été 1991, juste avant d'incarner Christophe Colomb à l'occasion du cinq centième anniversaire de la découverte de l'Amérique, tu tournes, pour la première fois, avec Guillaume, dans *Tous les matins du monde* d'Alain Corneau. Comment Guillaume est-il venu au cinéma ? L'idée s'est-elle imposée d'elle-même ou lui as-tu fait la courte échelle ?

— D'abord, il faut dire l'essentiel : dans ce film, Guillaume est excellent. Le film aussi, d'ailleurs : un bel hommage à la musique baroque et, de manière plus générale, à l'esprit créatif. Il n'a pas obtenu le prix Louis-Delluc et sept césars par hasard ! Guillaume avait déjà tourné avec Cyril Collard et pour la télévision. La suite s'est jouée entre Alain Corneau et lui. Alain est venu me demander mon avis. Je lui ai juste répondu ceci : « Moi, il me file des frissons dès qu'il se met au piano, Guillaume est un grand interprète. » Alain lui a demandé d'apprendre la viole de gambe. Ce qu'il a fait avec brio.

— Comment ça s'est passé entre vous, sur le tournage ?

— Très bien, même si j'étais fatigué. Je buvais trop, comme d'habitude. Je ne suis venu qu'une quinzaine de jours sur le tournage. On habitait tous les deux dans un moulin dans la Creuse. On parlait beaucoup de son travail. Guillaume avait le trac. Ce qui était logique. Quand tu entends : « Moteur. Silence. Allez, action ! » et que tu dois sortir tes premiers mots en face d'un monstre comme Jean-Pierre Marielle, il faut être très costaud. Moi, j'adore ces premières prises qui mettent l'acteur en déséquilibre. Mais Jean-Pierre a été formidable avec lui.

C'est un peu son père de cinéma. Moi, de mon côté, je ne peux pas dire que je l'aie aidé, ni même soutenu. Disons que j'essayais de lui expliquer que toutes ses craintes, toutes ses peurs servaient son personnage, le jeune Marin Marais. Mais je ne l'ai pas plus aidé ou rassuré que tous les jeunes acteurs ou actrices avec lesquel(le)s je tourne.

— Fin 1991, tu t'envoles vers Madrid, puis au Costa Rica pour interpréter le rôle de Christophe Colomb. Quelques mois plus tard, tu démarres le tournage du film de Jean-Luc Godard, *Hélas pour moi*. C'est une période tourmentée de ta vie : Roxane vient de naître, ton mariage est en crise, Guillaume a des soucis avec la justice... Tourner avec Godard, était-ce vraiment la meilleure des thérapies ?

— Le film était un peu chiant, je te l'accorde. Godard a fait des choses sublimes dans sa carrière. Mais je l'ai connu au moment où sa caméra était devenue professorale : tout ce que je déteste au cinéma ! Le contraire de Jean Renoir ou de Roberto Rossellini. Godard, lui, essayait d'expliquer le cinéma qu'il voulait faire. Moi, je n'aime pas qu'on m'explique mes émotions. C'est le meilleur moyen de tuer la possibilité même de m'émouvoir. Godard, j'ai toujours envie de lui dire : « Ta gueule, laisse-moi voir ! Laisse-moi m'émouvoir ! »...

— Avec toi, il n'est pas très tendre non plus. Il dit : « Ce n'est pas facile de diriger un ours, même s'il est aimable. Delon est un truand, il a une parole, Depardieu est un honnête homme, il n'en a pas. »

— Ça, c'est du Godard tout craché. C'est vrai qu'un honnête homme n'a pas forcément de parole. Il est honnête avec lui-même. Avec les autres, c'est une autre histoire. Moi, je ne m'en cache pas : je suis un paysan, un maquignon. Je peux vendre n'importe quel cheval à n'importe qui. Mais il ne faut pas compter sur moi pour dresser la liste des défauts du cheval... Je fais mon métier de maquignon, c'est tout. Un jour, au festival de Cannes, pour le provoquer, j'ai dit : « J'ai fait deux pubs dans ma vie : *Barilla* et *Hélas pour moi.* » Godard est un homme cultivé, un véritable cinéphile. Il lui est arrivé de m'émouvoir, mais il ne fait pas partie des génies de ce métier. Charlie Chaplin, Buster Keaton, Martin Scorcese ou Satyajit Ray, c'est tout de même autre chose ! Truffaut, Pialat, voilà des génies, des vrais ! Dans leurs films, il y a quelque chose de puissant, qui te prend aux tripes et au cœur et qui t'emmène vers la vie. C'est ça le vrai génie. Le génie, ce n'est pas de convoquer la presse pour expliquer pendant deux heures ce que tu as voulu dire dans ton film ! Le génie, c'est comme l'amour : c'est une évidence, ça ne s'explique pas...

— Début septembre 1992, tu rejoins Renaud, Miou-Miou et Jean Carmet dont ce sera l'un des derniers films, sur le tournage de *Germinal* de Claude Berri, d'après le roman d'Emile Zola. Berri-Depardieu, c'est déjà une vieille histoire : il y a eu *Je vous aime*, *Jean de Florette*, *Uranus*... Et pourtant, ce tournage ne se passe pas dans les meilleures conditions...

— Non, non, pas du tout... Avec Claude, l'entente a été parfaite...

— Ce n'est pas vraiment ce qu'on m'a dit. Il paraît que Claude Berri animait l'équipe et que toi, tu la réanimais. En clair, tu trouvais que, sur le plateau, il ne traitait pas correctement les comédiens et les techniciens...

— Mais non ! Si tu veux que je te dise que Claude Berri est un monstre, je te le dis tout net : oui, Claude Berri est un monstre ! Comme Marguerite Duras ou Maurice Pialat étaient des monstres, dans leur genre. Sauf, vois-tu, que je m'entends très bien avec les monstres. En revanche, une chose me faisait vraiment de la peine, c'était de voir souffrir Jeannot (*Jean Carmet*). Il souffrait de l'ambiance de travail qu'imposait Claude. Claude n'était pas toujours très aimable avec les acteurs. On tournait la nuit, dans le froid... Moi, ça me passait au-dessus de la tête, mais Jean, lui, était plus fragile. Il prenait tout cela trop à cœur. Claude exigeait de refaire plusieurs fois la même prise, sans que l'on comprenne toujours vraiment pourquoi. Jean souffrait de ça, il était fatigué. On habitait tous les deux dans un château où l'on se retrouvait le soir, autour d'une omelette et d'une bonne bouteille, avec Patrick Bordier, mon beau-frère. On lui remontait le moral en racontant des bonnes blagues jusqu'au bout de la nuit. On faisait boire le gardien du château qui se mettait à chanter et à danser. Le lendemain, Jean était à nouveau d'attaque pour sa journée de tournage...

— Claude Berri, c'est tout de même un sacré caractère...

— Oui, je sais. Il est un peu particulier. Il fait parfois des choses qui peuvent choquer. Sur *Jean de Florette*, par exemple, c'est Jacques Weber qui devait faire le rôle. Et puis, à un moment, il m'a appelé pour le remplacer. De même, sur *Lucie Aubrac*, il a choisi de remplacer Juliette Binoche par Carole Bouquet. C'est comme ça, ça fait partie du personnage... Mais moi, je n'ai aucune difficulté à m'adapter à ce genre de personnage. Une seule chose m'ennuie sur un tournage : voir souffrir le metteur en scène. Maurice Pialat, sur le tournage de *Loulou* par exemple. C'était douloureux, il était persuadé de faire « de la merde », comme il disait. Ça, c'est dur pour un acteur... Pour le reste, je me suis toujours adapté. Et puis, Claude Berri est un artiste, la sensibilité à fleur de peau, amateur d'art éclairé, grand collectionneur...

— Un point commun avec toi...

— C'est vrai. Ma passion pour l'art est née, comme ma passion pour le vin, d'une curiosité maladive. Tu commences à me connaître : je suis une éponge ! Je me suis intéressé à la peinture et à la sculpture au moment de *Rodin*. Puis, Carole (*Bouquet*) m'a montré d'autres lignes, d'autres artistes, d'autres formes de pureté, elle m'a ouvert à d'autres périodes de l'histoire de l'art. Elle m'a initié. Comme Claude Régy, il y a trente ans, m'a appris d'autres formes de théâtre, la gestion de l'espace, la mise en abîme de l'acteur, la science du silence, l'art de jouer sans dire comme dans le nô japonais...

— Après *Germinal* et *Le Colonel Chabert*, il y a *Elisa* de Jean Becker : un film presque aussi beau et aussi violent, selon moi, que *L'Eté meurtrier* qu'il a réalisé dix ans auparavant. La rencontre avec Vanessa Paradis, quel souvenir ?

— Vanessa, je l'adore. Je crois qu'elle avait parfaitement saisi la complicité qui nous unissait, Jean Becker et moi. Avec Jean Becker, c'était un peu comme avec Jean Carmet : on parle le même langage. C'est un être extrêmement attachant, beaucoup plus complexe encore que ses films. Au moment du tournage, Vanessa n'était pas encore l'immense vedette qu'elle est devenue, mais elle était déjà très déterminée. On voyait déjà que cette fille allait exploser. Elle dégageait une force et une présence incroyables. Mais, en même temps, contrairement aux filles de son âge, elle ne se prenait pas au sérieux. Elle n'avait pas la prétention ou l'arrogance des jeunes actrices. Elle avait du talent, tout simplement...

— A partir d'*Elisa* (1994) et du film de Pialat, *Le Garçu* (1996), on perd un peu le fil. Tu fais des choix artistiques dont on a, encore une fois, du mal à saisir la cohérence. Pourquoi *Le Plus Beau Métier du monde* de

Gérard Lauzier ? Pourquoi *Bimboland* d'Ariel Zeitoun ? Pourquoi *L'Homme au masque de fer* de Randall Wallace, une piètre adaptation de l'œuvre de Dumas ?

— *L'Homme au masque de fer*, c'est très simple à expliquer : ils ne pouvaient pas le faire sans moi. Il leur fallait absolument une vedette française. John Malkovich, que je ne connaissais pas, voulait absolument que je participe à ce film. C'était le premier long métrage de Randall Wallace, et ça me plaît toujours de donner un coup de pouce à des réalisateurs qui tournent pour la première fois. Et puis, au générique, il y avait tout de même Leonardo DiCaprio...

— Tu oublies peut-être la raison essentielle, ton cachet : trois millions de dollars !

— L'argent, l'argent... Je n'ai pas besoin d'argent. Je te le répète encore une fois : je fais ce film, d'abord et avant tout, pour élargir mon cercle artistique. DiCaprio, Malkovich, Gabriel Byrne... Pourquoi se priver de jouer avec ces stars ? Et puis, je n'ai jamais fait des films pour faire des chefs-d'œuvre ! Quand j'ai tourné *Cyrano de Bergerac* avec Rappeneau, je n'imaginais pas le résultat à l'avance. Si on connaissait la recette, ça se saurait ! De même, quand j'accepte de jouer le rôle d'Obélix dans le film de Claude Zidi, je ne sais pas à l'avance qu'on va faire des millions d'entrées et connaître un immense succès populaire. Simplement, un rôle de boulimique comme celui-là, ça ne se refuse pas ! Ce qui est vrai en revanche, c'est qu'à l'époque je travaillais trop sans doute. Ça oui ! En allant sur le tournage, je me suis d'ailleurs endormi au guidon de ma moto et j'ai dérapé dans un virage à l'entrée de Clairefontaine dans les Yvelines, à deux kilomètres du plateau. Genou explosé, ligaments éclatés, triple fracture à la jambe gauche, trois côtes brisées, un poumon perforé...

— C'était le 18 mai 1998, et, si mes informations sont exactes, tu avais 2,5 grammes d'alcool dans le sang. Cet accident t'a valu trois mois de prison avec sursis et quinze mois de suspension de permis de conduire. Il a même été question de te retirer ta Légion d'honneur...

— Oui, je sais. Ça n'excuse rien, mais je faisais mille choses à la fois. Dans la même semaine, j'avais fait trois allers-retours à Cannes pour conclure le *deal* sur *Les Misérables* avec la télévision. Ce jour-là, j'avais dû boire trop de champagne, j'avais dormi à peine trois heures... Nounours (*Nounours est le bras droit de Gérard Depardieu, l'homme à tout faire, en toutes circonstances, qui le suit dans toutes ses pérégrinations*) m'a dit : « Tu es sûr que tu veux y aller en moto ? Tu n'es pas trop crevé ? — Non, ne t'inquiète pas, ça va me rafraîchir. » Voilà le résultat : je me suis planté deux kilomètres avant le tournage ! Note bien qu'auparavant j'avais fait tout de même cinquante kilomètres sans le moindre souci...

— Et la Légion d'honneur, alors : on te l'a finalement retirée ou pas ?

— On ne me l'a pas du tout retirée, mais j'ai effectivement eu un blâme. Un blâme mérité d'ailleurs. Je l'ai dit au tribunal : « Infligez-moi la peine que vous jugerez nécessaire. De la prison même, s'il le faut. Je n'ai aucune excuse. » Prendre le guidon d'une moto en ayant bu est inexcusable. Cela dit, je n'ai fait de mal qu'à moi-même. Mais j'aurais été mortifié si j'avais tué quelqu'un. L'accident m'a tout de même immobilisé près de trois semaines, mais on n'a pas arrêté le film...

— En revanche, la même année, tu as refusé l'offre de Francis Veber de tourner dans *Le Dîner de cons*. Pourquoi ?

— J'en étais tout simplement incapable. Je n'avais pas la tête à cela. Je n'en avais ni les moyens physiques, ni les facultés psychologiques. C'était une époque où j'étais totalement déprimé, la tête dans le sac. Je me dispersais dans mille et une activités, je faisais des films pour faire plaisir aux copains, j'étais plus dans les avions que sur les plateaux de tournage. J'avais plus la tête au pétrole qu'au cinéma... Francis est venu me voir pour me convaincre de le faire. Il m'a même proposé un cachet de quatorze millions de francs !

— Et tu as tout de même rejeté son offre ?

— Tu vois bien que mes choix ne sont pas uniquement dictés par l'argent ! J'ai refusé parce que je n'étais pas en état, tout simplement. Je traversais une phase de dépression profonde. Plus d'envie. Plus de perspective. Plus le goût des choses. Francis a très bien compris d'ailleurs. Au cours de notre conversation, je me souviens même lui avoir dit que si j'avais joué dans son film, j'aurais aimé incarner le rôle du con, celui de Jacques Villeret. Mais Francis s'était engagé auprès de Jacques. Jacques était un ami, il avait de gros problèmes d'ordre privé à cette époque... Notre conversation s'est arrêtée là.

— Deux ans plus tard, il a de nouveau fait appel à toi, pour le rôle de l'idiot, dans *Le Placard*...

— En fait, il a écrit ce rôle pour moi en se souvenant de notre conversation du *Dîner de cons*. Finalement, dans les comédies, je trouve que le rôle de l'idiot du village est plus dans mes cordes. J'aime bien cette force de conviction qu'il faut aller puiser au fond de soi-même pour incarner un abruti... Bref, à l'époque, je faisais *Vidocq* de Pitof, je devais friser les cent trente kilos, je soufflais comme un bœuf en montant les étages, je me sentais usé, je commençais à ressentir des douleurs violentes dans le thorax. J'ai pris rendez-vous à l'hôpital Foch à Suresnes (*Hauts-de-Seine*) pour un check-up complet. Là, j'ai tout raconté : mes excès, ma fatigue, l'alcool, mes problèmes de poids... Je me souviens, c'était un samedi. Le professeur Dreyfus regardait mes entrailles sur un écran de télévision dans la pièce d'à côté. Je lui disais : « Il faut me le dire si je ne peux pas tourner lundi ! » Je faisais le malin, mais en réalité, je n'étais pas très fier. Je sentais que j'étais au bout du rouleau. Dreyfus est venu à côté de moi, les néons blancs m'éblouissaient les yeux, et là, il m'a dit : « Gérard, si tu ne veux pas finir comme Jean Poiret ou comme Jacqueline Maillan, il va falloir que je te fasse des pontages. J'en vois au moins trois, et c'est urgent. » J'ai appelé Francis Veber de mon lit d'hôpital. Je lui ai dit : « Francis, la dernière fois, c'est la tête qui n'y était pas ; maintenant, c'est le cœur qui ne veut plus. » Francis a été parfait, comme d'habitude. Il m'a répondu : « Ça ne fait rien. Fais ce qu'il faut. Je t'attends. » Le lundi matin, j'étais opéré. Finalement, ce n'était pas trois, mais cinq pontages. Trois semaines plus tard, j'étais sur le plateau...

— Comme prévu, *Le Placard*, avec Daniel Auteuil et Thierry Lhermitte, a connu un gros succès commercial. Mais, après un quintuple pontage, tout autre que toi aurait levé le pied. Or, cette année-là, j'ai compté pas moins de huit films à ton actif, dont *Mission Cléopâtre*, le deuxième volet des aventures d'Astérix et Obélix réalisé par Alain Chabat. C'est quoi, de l'inconscience ? Le désir de rattraper le temps perdu ?

— Non, cette période, pour moi, c'était comme une renaissance. Il fallait que je fonce. Je me sentais en pleine forme, j'avais perdu du poids, je respectais le régime prescrit par les médecins, je ne buvais pas... C'était ma façon à moi de faire honneur au travail magnifique des toubibs. Ils m'avaient donné un cœur tout neuf. Du coup, j'avais le cœur à l'ouvrage...

— L'année suivante, 2002, rebelote : cinq nouveaux films, treize au total en dix-huit mois, dont celui de Jacob

Berger, *Aime ton père*, avec Guillaume : l'histoire d'un fils qui kidnappe son père pour essayer de comprendre pourquoi ce dernier n'a jamais été présent quand il avait besoin de lui. Psychologiquement, était-ce vraiment le bon moment pour entreprendre cette psychothérapie cinématographique ?

— Ce film, je l'ai fait pour Guillaume. Il y tenait beaucoup... Ça n'a sans doute pas arrangé nos relations, mais je ne regrette pas de l'avoir fait. Lui non plus, je crois...

— A l'exception du *Placard* et de *Mission Cléopâtre*, aucun des treize films que j'évoquais n'a rencontré son public, comme on dit pudiquement. Pour parler clair : treize films, onze bides !

— C'est vrai, mais dans la plupart de ces films, ce qui m'a amusé, c'est moins de les jouer que d'aller convaincre des gens de mettre de l'argent pour qu'ils voient le jour. Mon côté entremetteur, toujours. Si ces films totalisent cinquante ou soixante-dix mille entrées, c'est gagné. J'aime cette idée de tourner avec de jeunes réalisateurs comme Brad Mirman (*Crime Spree*) ou Graham Guit (*Le Pacte du silence*)... Et puis, pardon : si tu ajoutes *Le Placard* et les deux *Astérix*, on frôle tout de même les trente millions d'entrées. Tu ajoutes encore, à la télévision, *Monte-Cristo*, *Balzac*, *Les Misérables* et *Napoléon*... Je peux tout de même me permettre de faire quelques films confidentiels, non ?

— Tu parlais des jeunes réalisateurs à qui il faut mettre le pied à l'étrier. Quels sont, parmi la jeune génération, les acteurs qui t'impressionnent ?

— Je ne vais pas te répondre Guillaume et Julie, tu ne me trouverais pas objectif. Tant pis, je te le dis quand même : tout ce que fait Julie est remarquable. Elle a l'intelligence de ne pas être carriériste, elle sait prendre ses distances avec ce métier. Pas de risque qu'elle soit un jour atteinte du syndrome de la grosse tête ! Je pense qu'un jour, elle passera à la mise en scène. Elle est trop à l'étroit dans le seul métier d'actrice... Pour revenir à ta question, parmi ceux que j'aime beaucoup, il y a Benoît Poolvoerde que je trouve excellent dans *Podium*, Jean-Paul Rouve des Robins des Bois avec lesquels j'ai tourné *Rrrrrrr* d'Alain Chabat, Yvan Attal avec lequel j'ai travaillé sur le film de Jean-Paul Rappeneau, *Bon voyage*...

— *Bon voyage*, un film promis à un grand succès populaire et qui, contre toute attente, n'a pas fait le plein...

— Pour moi, c'est une histoire incompréhensible. Il y a tout dans ce film : un bon scénario, un générique époustouflant, Isabelle Adjani, Yvan Attal, Virginie Ledoyen... C'est d'autant plus incompréhensible qu'il fera sans doute dix millions de téléspectateurs lorsqu'il passera à la télévision...

— Certains acteurs font de vrais choix de carrière. Toi, on a l'impression que tu ne choisis pas, que tu acceptes tout ce qui se présente, les petits films comme les grosses superproductions, les bons films comme les mauvais. Y a-t-il des gens, autour de toi, qui te conseillent, ou es-tu seul maître de tes choix ?

— Je crois que tu as vu juste. Je fais tout ce qui se présente ou presque. Chaque nouveau film est digne d'intérêt, soit par la nature de son scénario, soit par la personnalité de son metteur en scène, soit pour les acteurs avec lesquels je vais devoir travailler. Il y a toujours une bonne raison de faire un film. En revanche, savoir si un film va faire ou non un carton n'est jamais un argument décisif. Cela dit, c'est vrai, je sollicite toujours un certain nombre d'avis. Ceux de Bertrand de Labbey et de Claire Blondel, chez Artmédia, sont importants. Ce sont eux qui gèrent les questions financières et juridiques, les contrats, les détails... Je leur fais une confiance aveugle. Bertrand est un homme extrêmement loyal. Je dirais même d'une honnêteté sans égale. Les conseils de Claude Davy aussi me sont très précieux. Claude est mon attaché de presse depuis près de trente ans. C'est un métier difficile, surtout lorsqu'il y a plus de cinq cents films qui sortent chaque année. Mais Claude est d'abord un ami, il connaît tout de moi, de ma vie privée, de mes défauts. Il n'hésite pas à me dire mes quatre vérités quand il le faut. Et surtout, c'est une mémoire vivante du cinéma.

— Parmi tous les projets auxquels tu collabores, il y a forcément des films que tu regrettes d'avoir fait. Quand on tourne huit films par an, on ne peut pas être satisfait de tout...

— C'est vrai, mais je ne regrette jamais d'avoir tourné un film, même lorsqu'il est raté. J'ai dû en faire 165, je crois, et je n'en regrette aucun. S'il y a un regret, un seul, c'est de ne pas pouvoir en faire plus. Il m'arrive, sur certains tournages, de perdre patience. Je trouve parfois que certains réalisateurs ne vont pas assez vite. C'est pour cela que j'ai tenté l'aventure de la télévision. A la télé, tout va plus vite. Or, mon problème, dans la vie, c'est que je manque de temps pour faire tout ce dont j'ai envie. Le titre que tu as choisi pour ce livre, *Vivant !*, résume parfaitement mon état d'esprit depuis que je suis passé sur le billard : je suis vivant et j'en profite ! Je prends autant de plaisir à tourner avec André Téchiné, ici, à Tanger, qu'à faire mon vin en Anjou, à lire du saint Augustin à l'église de la Madeleine ou à goûter les plats dans les cuisines de La Fontaine Gaillon. Finalement, tout cela requiert la même exigence : savoir donner.

— Sois honnête : il t'arrive fréquemment de t'emmerder sur un plateau de tournage. Il t'arrive même de débarquer sur un film sans connaître l'histoire, sans même maîtriser ton texte...

— Bien sûr, je ne m'en cache pas. Ce sont des choses qui arrivent. Parfois, je n'ai pas eu le temps matériel de lire le script. Ou alors quelques scènes seulement, les miennes.

— Il paraît même que, sur certains films, tu colles ton texte sur la veste de ton partenaire ou à côté de lui...

— Oui, c'est vrai. Je colle mes notes un peu partout ; ce sont mes antisèches. Ce sont essentiellement des garde-fous, des filets de sécurité. Pendant que mon partenaire dit son texte, je jette un coup d'œil à mes notes, et quand c'est à moi, je n'ai plus à me soucier du texte, seul le jeu compte. C'est l'acte qui prime. John Malkovich a essayé d'en faire autant, il n'y arrive pas.

— Et ça ne trouble pas tes partenaires ?

— En tout cas, personne ne s'en est jamais plaint. Quelques metteurs en scène, parfois. Francis Veber notamment. Au théâtre aussi. Mais tu sais, entre mes accidents de moto, mes pontages, les médicaments que je prends pour dormir ou pour le cœur, il arrive un moment où il faut cesser de se miner avec la mémoire. Combien de fois ai-je vu François Périer, seul avec lui-même, terrorisé par cette hantise du trou de mémoire ? Si tu ne penses qu'à ton texte, tu ne joues plus. Quand j'ai une absence ou un trou de mémoire, j'attends. J'attends que ça revienne, sans me dire : « Merde, qu'est-ce que je dois dire ? Qu'est-ce que je dois dire ? » Quand tu es libéré du texte, tu es libre pour l'acte.

— Je suis avec toi, ici à Tanger, depuis quelques jours. Je vois le plaisir que tu prends à jouer avec Catherine Deneuve et à tourner sous la direction d'André Téchiné.

En revanche, j'ai le sentiment que, depuis quelques années, le cinéma français t'ennuie. Est-ce que je me trompe ?

— C'est vrai que certains réalisateurs, certains auteurs, certains acteurs aussi, se prennent un peu trop au sérieux. Le cinéma français est souvent trop nombriliste. La qualité des scénarios s'en ressent. Le problème, c'est que la France s'embourgeoise. Artistiquement — et politiquement d'ailleurs — tout le monde ressemble à tout le monde. On a perdu en originalité, en créativité. Il est de plus en plus rare de trouver des films qui disent encore quelque chose, des films qui te prennent aux tripes. Le cinéma iranien, chinois ou coréen a des choses à dire. Le cinéma français, lui, parle souvent pour ne rien dire. Je ne veux pas généraliser. Quand je dis « le cinéma français », ça ne signifie pas tous les films ou tous les metteurs en scène français. Heureusement d'ailleurs, sinon il faudrait que je change de métier. Néanmoins, je constate que les cinéastes américains n'ont jamais cessé, à travers leurs films, de prendre à bras-le-corps leur histoire, les Indiens, la conquête de l'Ouest, l'esclavage, la guerre du Vietnam, les dessous du pouvoir politique. Combien de films français ont osé mettre en scène le président de la République ? A quand un long-métrage sur les lourds secrets de la guerre d'Algérie et sur la torture ? Où est le Michael Moore français ?

— Michael Moore, c'est ton héros du moment...

— C'est tout de même mieux que Jean-Luc Godard, non ? Avec lui, le réel dépasse la fiction. Il suffit d'avoir une caméra et de la poser où il faut. Mais tout le monde n'a pas non plus la chance d'avoir un héros comme George Bush ! Quand j'entends dire, pour mieux le discréditer sans doute, que Moore fait du cinéma politique, ça me fait doucement marrer. Shakespeare, Molière, que faisaient-ils sinon du théâtre politique ? C'était quoi

Tartuffe, au juste, sinon une peinture politique de son époque ? Et *Apocalypse Now* de Francis Ford Coppola ?

— Comment expliques-tu cette incapacité du cinéma français à se colleter avec la réalité contemporaine ou avec la part sombre de notre histoire commune ?

— C'est tout simplement que la France est un tout petit pays de soixante millions d'habitants. Hollywood s'adresse en priorité à un marché intérieur de deux cent soixante-dix millions de personnes. Ça change la donne ! Si François Mitterrand avait été américain, il y a long-temps que les Américains se seraient saisis de son his-toire personnelle et de sa carrière politique pour en faire une grande fresque cinématographique. De l'affaire Elf, ils auraient fait un thriller politico-sentimental. Mais, hors de l'Hexagone, qui ces histoires intéressent-elles ? Personne. Du coup, c'est vrai, le cinéma français manque parfois d'un peu de souffle et d'imagination. Pourquoi crois-tu que je me suis lancé dans des super-productions télévisées ? Le cinéma français n'a plus ni le temps, ni les moyens d'adapter *Les Misérables* ou *Monte-Cristo*, de raconter la vie de *Napoléon*. Et de Gaulle ? Qu'est-ce qu'on attend pour raconter la vie de De Gaulle sur grand écran ? Je suis sûr qu'un jour la télévision s'y collera.

— Si je comprends bien, tu te sens un peu à l'étroit dans ce cinéma-là...

— Non. Je mentirais si je disais cela. Et puis, ce serait très prétentieux de ma part. Je n'ai ni l'envie, ni la légiti-mité pour jouer les redresseurs de torts du cinéma français. Ce qui m'intéresse le plus aujourd'hui, c'est découvrir de nouveaux talents, de partager de nouveaux enthousiasmes. J'ai cinquante-cinq ans, je n'ai plus grand-chose à prouver au cinéma. Mon plaisir, c'est de tenter de nouvelles expériences.

— Trouver des histoires qui renouvellent ton envie, ton désir...

— Mais, des histoires, j'en ai plein ma besace ! Le patrimoine littéraire regorge de belles histoires. Faisons *Joseph Balsamo* d'Alexandre Dumas ! Montons *Les Raisins de la colère* de Steinbeck ! Adaptons Faulkner, Hemingway ! Là, je t'assure que tu n'auras aucun problème de scénario. Les gens courront voir ces films et ils ne seront pas déçus...

— La première fois que je t'ai rencontré, c'était en avril 2000 au festival de Cannes, quelques semaines avant ton opération à cœur ouvert. Dans une interview que tu m'avais accordée pour *L'Evénement du jeudi*, tu tenais des propos assez durs sur le cinéma français.

— Je me souviens très bien de cet entretien. Quatre ans après, hélas, ce que je disais alors reste vrai. C'est même peut-être pire aujourd'hui. Le cinéma français prend de moins en moins de risques. Tout est de plus en plus formaté ! J'ai connu une époque où des producteurs étaient capables de risquer leur chemise pour mener à bien un projet ambitieux. Aujourd'hui, aucun producteur de cinéma ne parierait un centime sur *Joseph Balsamo*. La télé, elle, oui ! Cela ne signifie pas qu'il faut arrêter de faire du cinéma, cela signifie qu'il faut faire aussi de la télévision pour monter des projets ambitieux, des projets coûteux en costumes, avec des milliers de figurants... Aujourd'hui, seuls des groupes audiovisuels comme TF1 ou Canal + ont les moyens de faire du cinéma à grand spectacle, à la manière des majors américaines. Tiens, par exemple : je rêverais de faire un *Tarass Boulba* au cinéma. C'est impossible ! La seule solution, c'est d'inventer une coproduction internationale entre la France, la Russie et l'Ukraine et de le faire à la télévision. Au fond, la seule chose que je peux reprocher aux chaînes de télévision, c'est de ne pas aller chercher les grands acteurs de cinéma pour les convaincre de faire aussi de la télé. C'est moi qui pars aux Etats-Unis pour convaincre des vedettes américaines de jouer dans des fictions françaises. C'est moi qui pars en Italie pour persuader Ornella Muti de faire *Monte-Cristo*. Mon côté entremetteur, encore.

— C'est tout de même très paradoxal de faire sept à huit films par an et de tenir ce discours très critique sur le cinéma français...

— Tu as raison, et je ne voudrais pas qu'on puisse penser que je crache dans la soupe. Encore une fois, je tourne beaucoup, mais uniquement avec des gens que j'aime ou qui m'intéressent. Il n'en demeure pas moins vrai que le cinéma français souffre d'un problème d'écriture. Auparavant, il y avait un vrai label « qualité France ». Aujourd'hui, on l'a un peu perdu. Pas complètement, heureusement. Le film que je tourne actuellement avec André Téchiné, ici, à Tanger, est remarquablement écrit. Le script qu'a écrit Gérard Jugnot avec son coauteur pour le remake de *Boudu sauvé des eaux*, dont je commence le tournage le mois prochain, est excellent. Je suis très admiratif, aussi, du travail d'Agnès Jaoui et de Jean-Pierre Bacri. Le problème, c'est la relève. C'est pour cela que j'ai participé à la création d'Emergence, l'école que dirige Elisabeth à Aix-en-Provence. En vérité, je ne suis pas inquiet. Je sais que la relève existe. Regarde le film de Sofia Coppola, *Lost in Translation* : de l'écriture à la réalisation, tout est magnifique !

— Je voudrais qu'on parle de ta façon de préparer les rôles...

— L'émotion ! C'est la seule chose qui compte. De l'émotion naît la beauté. C'est de là que naît la source de création. Pour la plupart des rôles que j'ai joués, j'ai toujours fonctionné à l'instinct. Je n'ai jamais été un adepte de la méthode américaine. L'Actor's Studio, ce n'est pas mon truc. J'ai connu des acteurs qui s'immergeaient dans leur personnage plusieurs semaines avant le début du tournage, des types qui n'hésitaient pas à prendre trente kilos pour ressembler à leur rôle. Paradoxalement, cette méthode existe de moins en moins aux Etats-Unis, mais elle gagne de plus en plus le cinéma français. Moi, je n'ai jamais travaillé comme ça, et je ne vais pas commencer aujourd'hui. Le travail de l'acteur commence inconsciemment dès la lecture du script. Lentement, le personnage chemine. Quel que soit le film, le processus est le même : les mots que prononce mon personnage, les sentiments qu'il éprouve, les situations qu'il vit convoquent en moi des souvenirs inconscients. Sans que j'en aie nécessairement conscience, mon personnage va faire écho à mon propre vécu, mon passé, mes souvenirs. Mais l'important, c'est cette seconde d'éternité où le metteur en scène crie : « *Moteur ! Action !* » C'est à cet instant précis que l'acte commence et que l'acteur doit tout donner. C'est à ce moment, et à ce moment-là seulement, que l'acte créatif a lieu. Il n'y a rien d'autre à faire. Tout est déjà écrit. Il n'y a plus qu'à être... Or, pour être l'abbé Donissan de *Sous le soleil de Satan*, il est inutile de se plonger dans les textes saints et de fréquenter les églises trois mois avant le tournage. Pour incarner Bob dans *Tenue de soirée*, ce n'est pas la peine de devenir homo et de traîner ses guêtres toutes les nuits dans les back-rooms de la capitale. Encore une fois, quel que soit le rôle, comique ou tragique, ma vie, mes expériences personnelles, mes souvenirs me suffisent.

— Ils te suffisent pour disparaître derrière ton personnage, c'est ça ? Comment faut-il appeler cette méthode ? Le non-acte ?

— D'une certaine manière, oui. Jouvet prétendait que la diction entraîne le sentiment. Il suffit de tirer sur le sentiment juste comme on tire sur un fil de laine, et toute la pelote vient avec. Mais tu sais, quand un rôle est réussi, la plupart du temps, tu peux être certain que 80 % des choses m'ont échappé. Avec l'expérience, j'ai acquis suffisamment de technique, aujourd'hui, pour jouer n'importe quoi. Mais quand je joue, je sens comme une sorte d'énergie qui déborde en moi. Je suis en mouvement perpétuel, comme l'était Picasso dans son genre. Je brûle, je ressens cette chaleur en moi, c'est très difficile à expliquer. Peut-être parce que chaque rôle, sans que j'en sois conscient, me rappelle des événements passés de ma vie. En tout cas, je revendique cette liberté artistique...

— Ce non-acte te dispense-t-il vraiment de tout travail préparatoire ? Quand tu as joué *Rodin,* tu es allé aux Beaux-Arts, tu t'es documenté sur son travail, sur sa vie, sur la Troisième République. Pour *Le Dernier Métro,* tu t'es plongé dans l'œuvre de Sacha Guitry...

— Bien sûr, mais ce que j'essaie de te dire, c'est que je n'entre en état de création qu'à l'instant précis où la caméra tourne. Je connais des acteurs qui répètent leur texte des semaines à l'avance. Moi, je ne pourrais pas travailler comme ça. Andrzej Wajda voulait qu'on répète certaines scènes, un long discours de Danton notamment, filmé en plan-séquence. J'ai fait répéter quelqu'un d'autre à ma place. Puis, le jour J, je suis arrivé sur le plateau, j'ai demandé où étaient mes marques. A 7 heures, Wajda a dit : « Moteur ! » A 7 h 30, il a dit : « On ne fait qu'une prise, elle est bonne. » Si je me mets à penser à l'avance aux gestes que je vais faire, à la manière dont je vais me mouvoir, c'est fichu !

— Il t'est pourtant arrivé de te métamorphoser physiquement pour mieux te fondre dans un rôle...

— Jamais ! Et quand cela arrive, c'est parfaitement involontaire. Les acteurs américains, eux, ne sortent jamais sans leur cuisinier personnel, leur diététicien, leur coach. Moi, non ! Il m'est arrivé de commencer un film à quatre-vingt-dix kilos et de le finir à cent vingt ! (*Rires.*) Quant à mettre un faux nez pour interpréter Cyrano, ce n'est pas ce que j'appelle une métamorphose physique. L'important, ce n'est pas ce que les gens voient, c'est ce qu'ils ressentent. Dans *36*, je n'ai pas besoin de me métamorphoser en je ne sais quelle caricature de flic. J'ai besoin que les gens sentent que je suis un pourri qui s'ignore, un arriviste. Pour cela, je n'ai pas besoin de prendre dix kilos, de me laisser pousser une moustache de beauf et d'apprendre le maniement du 3.57 magnum.

— Marlon Brando et Robert Mitchum, tes deux idoles, prétendaient que seul le physique permet d'être dans le non-acte...

— Ce n'est pas faux. Mais l'important, ce n'est pas de jouer, c'est d'être. Pour cela, il est inutile de modifier son apparence. Tu es, un point c'est tout. Encore faut-il en être soi-même convaincu pour avoir une chance de convaincre les autres. Celui qui change de physionomie, c'est comme celui qui pense son rôle : il perd tout. Il n'y a rien de plus présent et de plus convaincant qu'un acteur qui ne pense pas. L'acteur qui ne pense pas te regarde. S'il te regarde, il t'écoute. S'il t'écoute, il capte ton attention. Et là, bingo ! Tu es le personnage.

— Est-ce que, néanmoins, ton physique t'a gêné pour certains rôles ?

— Oui, au début de ma carrière. Je ne me supportais pas physiquement. C'est très pénible comme sensation. Tu en deviens presque aussi narcissique que ceux qui se trouvent beau. Tu passes ton temps à te regarder et à te déplaire. Mais c'est de l'histoire ancienne. Je m'assume bien mieux aujourd'hui...

— Bertrand Blier disait de toi : « Depardieu, il porte son corps comme on porte de trop lourdes valises »...

— Comme un fardeau, c'est vrai. Et puis, il faut être honnête : ce corps, je ne l'ai jamais ménagé, je n'ai jamais fait attention à moi. Physiquement, je veux dire. Je ne compte plus les dizaines de kilos que j'ai pris, perdu, repris... Le tabac, l'alcool, les nuits sans sommeil, ce corps couvert de cicatrices... Heureusement, j'ai toujours eu une santé de fer et je cicatrise très vite.

— Est-ce qu'il y a des rôles aujourd'hui que ton physique t'empêche de jouer ?

— Alors là, je suis formel : aucun ! Tout est jouable, si j'ose dire. Plus je vieillis, plus je me sens à l'aise avec n'importe quel type de rôle. C'est sans doute ce que l'on appelle l'expérience...

— Dans certains rôles, tu as pris le risque de te mettre en danger. Je pense à des films de Bertrand Blier, à *La Dernière Femme* de Marco Ferreri... Est-ce qu'à cinquante-cinq ans on peut prendre le même genre de risques qu'à trente ou quarante ans ?

— Sans doute. Mais les rôles auxquels tu penses, je les ai faits comme on met une lettre à la poste ! La vérité, c'est qu'à trente ans et à cinquante-cinq ans on n'éprouve pas les mêmes peurs. Dans le film de Ferreri en l'occurrence, j'étais tout le temps à poil. A mon âge, tourner nu n'aurait aucun sens. Il faut s'appeler Brando et jouer *Le Dernier Tango à Paris* pour faire ça. Il faut la grâce de Bertolucci et la fraîcheur de Maria Schneider...

— De quoi as-tu envie pour les années qui viennent ?

— Continuer le plus longtemps possible. Vivre le plus longtemps possible. Je n'ai aucun projet d'avenir. Je n'en ai d'ailleurs jamais eu. Je n'ai jamais cherché non plus à accomplir des rêves. Je prends les nouvelles aventures comme elles arrivent. Et ce n'est certainement pas à mon âge que je vais changer de philosophie !

5

L'HOMME PRESSÉ

> « On ne va jamais aussi loin que lors-
> qu'on ne sait pas où l'on va. »
>
> Christophe COLOMB.

Tanger, le 29 mai 2004, Hôtel Mövenpick, où Gérard doit tourner, cet après-midi-là, quatre scènes devant la caméra d'André Téchiné.

— Est-ce que le fait de parler d'argent te pose un quelconque problème ?

— Aucun ! Ça m'en pose d'autant moins que, la plupart du temps, je ne sais pas ce que je touche pour un film. En général, je le découvre quand le film est déjà commencé voire, carrément, quand il est terminé. C'est Bertrand de Labbey, chez Artmédia, qui gère tous mes contrats et, comme je te l'ai dit, je lui fais une confiance aveugle.

— Je peux donc te poser n'importe quelle question d'ordre financier sans que cela te gêne le moins du monde...

— Absolument. Tu sais, moi, je rêve d'art et de gens, pas d'argent ! Je ne vois d'ailleurs pas quelle gêne tes questions pourraient susciter chez moi : tout ce que je gagne est régulièrement étalé dans les journaux. En lisant les gros titres de la presse magazine française (« Le salaire des cadres », « Les revenus des patrons », « Les cachets des stars »...), on pourrait croire que le tabou de l'argent a depuis longtemps volé en éclats. En réalité, je n'en crois pas un mot. Ceux qui gagnent très bien leur vie — et j'en fais partie — n'aiment pas voir étaler le montant de leurs revenus ou l'étendue de leur patrimoine dans la presse. Ceux qui gagnent modestement leur vie non plus d'ailleurs. Essaie de demander à ton voisin de palier de te montrer sa feuille d'impôt ! Tu vas voir sa réaction... Si les gens riches, patrons, vedettes de cinéma, chanteurs, footballeurs préfèrent cultiver le secret, c'est qu'ils ont peur d'apparaître indécents. Et, d'une certaine manière, cet étalage de fric, même à leur corps défendant, est obscène. Un salarié qui trime tous les mois pour gagner quinze cents ou deux mille euros doit nécessairement éprouver une certaine nausée en lisant ces chiffres pharaoniques. Pour ma part, je suis né dans une famille modeste, mais je considère n'avoir jamais manqué d'argent. A quinze-seize ans, quand je trafiquais avec les soldats américains de la base de Châteauroux, j'en gagnais déjà plus que mon père qui s'abîmait la santé derrière son fer à souder. En fait, je crois que j'ai toujours été riche parce que je me suis toujours contenté de ce que j'avais. Même au début des années 70, quand je ne jouais que des petits rôles, j'estimais déjà qu'on me payait très bien. Paradoxalement, mes origines font que l'argent n'a jamais été un sujet tabou pour moi. L'argent n'est un tabou que pour ceux qui ne se contentent pas de ce qu'ils ont et pour ceux qui ont honte de ce qu'ils gagnent ou de ce qu'ils possèdent. Je n'appartiens à aucune de ces deux catégories.

— Pourtant, dans *Lettres volées*, tu écris ceci : « L'argent, c'est un truc auquel il faut s'habituer très vite avant

qu'il ne vous mange la tête. Cela peut devenir une maladie, s'insinuer en vous et un jour on se réveille, on est
radin [...]. Pourtant, je ne serai jamais riche. » Or, tu es
riche. Très riche même...

— Je voulais dire que, dans ma tête, je ne me considé-
rerai jamais comme appartenant à la caste des riches. Je
sais trop d'où je viens. En réalité, j'ai toujours été riche.
Mais on ne parle pas de la même richesse. La vraie
richesse est ailleurs. Elle ne se calcule pas au nombre de
zéros avant la virgule sur ton compte en banque.

— Langue de bois...
— Mais non, pas langue de bois. Je suis sincère. La
richesse se calcule d'abord à ton degré de générosité. J'ai
largement de quoi bien vivre et de quoi faire vivre bien
tous ceux que j'aime. Guillaume a, paraît-il, écrit dans
son livre que j'avais un problème vis-à-vis de l'argent. En
clair, que j'étais radin. Je peux t'assurer que c'est faux. Je
n'ai pas le temps d'être radin. Christophe Colomb disait :
« L'argent ne fait pas de vous un homme riche, il fait de
vous un homme préoccupé. » C'est la pure vérité. J'ai,
autour de moi, des amis qui sont vraiment riches. Or, je
constate qu'ils sont tous assez préoccupés. Moi, je n'ai
pas cette sensation d'être riche. Pour moi, la vraie
richesse, c'est ce que m'apporte la vie, mon métier, mes
voyages, mes vignes, mon restaurant... Mais je ne compte
pas. Ni ce que je gagne, ni ce que je dépense. Ça, ce n'est
pas le profil type du radin, que je sache ! Parfois, mon
banquier me téléphone et me dit : « Dis donc, Gérard,
faut y aller mollo sur les cartes bleues, là... » Je lui fais
confiance et je réduis la voilure. Mais, au fond, l'argent
n'a jamais été et ne sera jamais mon souci principal.

— De quelle carte bleue parle-t-il ? De la tienne ou
de celle de ta société ?
— Bonne question. Ne faisant attention ni à ce que je
gagne, ni à ce que je dépense, je me suis interdit d'avoir

une carte bleue et un chéquier sur la D.D. Productions. Comme ça, je ne risque pas de confondre les deux caisses et de tomber, comme certains, dans l'abus de biens sociaux. J'ai ma carte bleue personnelle avec laquelle je règle mes dépenses dans les restaurants et dans les magasins, un point c'est tout.

— Tu dis que tu ne sais pas combien chaque film te rapporte. Admettons. Mais je suppose tout de même que tu es capable de mesurer l'étendue de ta fortune personnelle, non ?

— En gros, oui, je sais ce que je possède. Surtout depuis que la procédure de divorce a commencé avec Elisabeth et qu'il faut tout évaluer au centime près. Mais, c'est bien connu, on ne prête qu'aux riches ! D'aucuns, par exemple, me prêtent la propriété de vignes au Maroc qu'en réalité je me contente de louer. Ce qui m'intéresse, dans le cas présent, ce n'est pas d'être propriétaire. C'est le produit du terroir. Et puis, je suis un vrai paysan. Dès que je possède une propriété, je suis incapable de la revendre. J'ai l'impression qu'on me coupe un bras ou qu'on m'enlève un fils. Longtemps, j'ai eu le même problème avec les motos : quand j'achetais une moto neuve, j'étais incapable de revendre la précédente. Du coup, je les donnais... Heureusement, j'ai Nounours qui me surveille !

— Qui est Nounours ?

— Nounours, c'est Michel Boyard. Il travaille avec moi depuis une dizaine d'années. Il me suit comme mon ombre. C'est lui qui s'occupe des camions loges et des camions cantines qu'on a acquis. Il m'accompagne partout, en voyage, sur les tournages. Là, par exemple, il est avec moi à Tanger pendant toute la durée du film d'André Téchiné. Le mois prochain, il me suivra à Aix-en-Provence pour le tournage du film de Jugnot. C'est bien simple : il s'occupe de tout. Il est mes yeux, mes oreilles, mon agenda... Il m'est très précieux.

— Tu viens d'évoquer la D.D. Productions. A quoi te sert précisément cette société ?

— Elle produit des films et des courts-métrages, elle gère l'argent que j'investis dans des films dont je suis coproducteur, elle s'occupe des longs-métrages que je réalise.

— Et tes cachets d'acteur, qui les gère ? Qui décide que, sur tel ou tel film, tu seras payé sous forme de cachet ou sous forme d'intéressement aux recettes du film, voire les deux à la fois ?

— Je te l'ai dit : c'est Bertrand de Labbey et Claire Blondel qui s'occupent de tout. Sur certains films, je gagne beaucoup d'argent, sur d'autres moins, voire pas du tout. En réalité, tout dépend du budget du film. Le seul cas de figure où j'interviens, c'est quand je ne veux pas faire le film. Ils réclament alors, en mon nom, un cachet suffisamment exorbitant pour être sûrs que les promoteurs du film renonceront à m'engager. Le problème, c'est que je dis « oui » à tout, et cela cause parfois des soucis à Bertrand et à Claire.

— Tu lis tout de même les scénarios avant de donner ton accord ?

— Je lis les scripts, bien entendu, mais l'argent que je vais toucher n'a aucune influence sur ma décision.

— Jamais, vraiment ?

— Jamais, je peux te l'assurer.

— On m'a pourtant rapporté que, sur *Le Masque de fer*, tu devais toucher un cachet de trois millions de dollars. Or, tu aurais proposé à la production de leur restituer un million de dollars en contrepartie d'une réduction de trois semaines de ton temps de tournage...

— C'est vrai. C'était en 1997. J'étais dans une phase où j'avais moins de patience sur les tournages. Il fallait que les choses aillent vite. J'avais du mal à me poser. J'ai effectivement accepté de baisser mon cachet non pas d'un million mais de huit cent mille dollars exactement, à condition qu'ils consentent à réduire le nombre de mes journées de tournage. C'est bien la preuve, au contraire, que l'argent n'est pas un critère de choix. De même, sur certains films, les compagnies d'assurances refusent que je fasse de la moto pendant toute la durée du tournage.

— Il faut dire que tu collectionnes les accidents. Outre l'accident grave du 18 mai 1998 pendant le tournage d'*Astérix* de Claude Berri, tu es déjà tombé le 22 juin 1997, au coin du boulevard Malesherbes à Paris. En août 2002, sur le tournage de *Bon voyage*, tu as refait une chute sans gravité. Puis, de nouveau, en mai 2003, avenue de l'Opéra... Au total, j'en ai compté au moins six !

— Oui, mais le refus des assurances n'a rien à voir avec ces accidents. Les assurances refusent de prendre le moindre risque. Avoue que c'est paradoxal ! Ce n'est pas propre à mon cas personnel. Elles refusent également de couvrir les acteurs qui font du ski, du parapente ou n'importe quel sport jugé dangereux. Sauf que, après toutes ces années de carrière, je crois avoir le droit de fixer moi-même les règles. Ce qui n'est pas le cas de tout le monde. C'est une question de rapport de forces. Même quand j'ai eu mon quintuple pontage, je n'ai retardé le début du tournage que de trois semaines : je ne crois pas que le coût pour les assurances ait été exorbitant.

— Tout à l'heure, tu as évoqué ton banquier... C'est lui qui gère ta fortune ?

— Oui, il s'appelle Gabriel Méar, il a soixante-dix-huit ans, c'est un banquier à la retraite, et il suit toutes mes affaires depuis toujours. C'est lui qui met les sous de côté pour payer les impôts. C'est lui qui tire la sonnette d'alarme quand je dépasse les bornes. Par ailleurs, je fais appel à un avocat fiscaliste qui s'occupe de ma déclaration d'impôts, des comptes de ma société... Il s'appelle Michel Gryner et je travaille avec lui depuis au moins trente ans.

— A propos des impôts, tu as dit récemment : « Si je tourne sans arrêt, c'est aussi pour payer mes impôts. Je me suis laissé coincer dans un système de dettes parce que je n'ai aucune idée de l'argent. J'ai touché de gros salaires, je dois donc beaucoup aux impôts. Maintenant, il faut que je tourne beaucoup de films pour rembourser les impôts, parce que je ne veux plus de gros salaires »...

— C'est la règle du jeu. Plus tu gagnes, plus tu paies. Et plus tu paies, plus tu dois gagner pour assumer ce que tu dois. Mais franchement, ce serait indécent de me plaindre. Compte tenu de ce que je gagne, il est normal que je paie beaucoup d'impôts. On trouve tous qu'on en paie trop. Mais c'est la vie... Moi, j'ai toujours su instinctivement qu'une partie de l'argent que je gagnais appartenait à l'Etat et devait être redistribué. Je suis pour le partage et la redistribution des richesses. En plus, je ne suis pas du genre à thésauriser. Même si je suis plutôt raisonnable, même si je n'ai pas des goûts de luxe, ce métier t'impose un certain train de vie.

— Tu ne sais pas combien tu gagnes pour chaque film, tu ne sais jamais de quelle somme tu disposes sur ton compte en banque... Connais-tu au moins le montant annuel de ton impôt sur le revenu ?

— Je suis soumis à l'impôt sur la fortune. Je dois être taxé aux alentours de 55 ou 56 % de mes revenus. Au total, je paie environ 2,3 millions d'euros d'impôts par an. Ce qui doit faire un peu plus de 15 millions de francs. Et ça fait vingt ans que ça dure... Tu vois, je te dis tout. Pour la première fois, l'année dernière, je n'avais pas la trésorerie nécessaire pour faire face, j'ai donc sollicité un échéancier auprès du trésorier principal pour reculer le paiement du troisième tiers. Du coup, le mois prochain, je vais devoir payer quelque chose comme 600 000 euros.

— J'avoue que je ne m'attendais pas à une réponse aussi franche...

— D'abord, j'ai dit que je répondrais à toutes tes questions : je tiens parole. Ensuite, je n'ai pas honte de payer beaucoup d'impôts. Je dirais même que j'en suis fier. Je gagne beaucoup d'argent, donc je paie beaucoup d'impôts. C'est logique et parfaitement normal.

— D'autres que toi ont choisi depuis longtemps d'aller vivre sous des cieux fiscaux plus cléments. L'idée d'aller t'installer en Suisse ou dans tout autre paradis fiscal ne t'a jamais traversé l'esprit ?

— Là encore, je vais être franc avec toi : oui, j'ai déjà pensé m'exiler en Suisse. Non pas seulement pour payer moins d'impôts, mais pour gagner une certaine tranquillité. Pour fuir une pression médiatique qui a déjà causé beaucoup de tort à ma famille et à ma vie privée. Et, aussi, pour rejoindre un certain nombre de mes amis qui ont, depuis longtemps, élu domicile là-bas. Il y a un an et demi, j'ai demandé au fisc helvétique de calculer ma facture fiscale. Le forfait qu'il me réclamait était très élevé. J'y ai tout de même réfléchi à deux fois. Et puis, je me suis dit que c'était trop compliqué. Je me suis surtout dit que j'étais français et donc que je devais payer mes impôts en France. Au fond, je suis très bien ici. Mieux, sans doute, que partout ailleurs. J'aimerais simplement que l'on sache que lorsque je touche un gros cachet pour un film, je paie des impôts, des charges sociales, des cotisations chômage... Les sommes énormes qui sont annoncées dans la presse ne vont pas directement dans ma poche. Une fois qu'on a dit cela, je sais que je suis un privilégié, que je gagne beaucoup d'argent, mais je n'en ai absolument pas honte.

— A ce propos, tu as sans doute suivi le débat sur les intermittents du spectacle. En septembre 2003, une délégation d'intermittents en colère s'est même introduite dans ton hôtel particulier de la rue du Cherche-Midi, à Paris, pour manifester contre le projet du gouvernement. Parmi les nombreux abus du système qui ont été pointés, on a dit que certains acteurs très bien payés continuaient à toucher les Assedic spectacles entre deux films. Est-ce ton cas ?

— Jamais de la vie ! Ce serait parfaitement immoral. Et puis, ça ne risque pas de m'arriver, je travaille tout le temps. En avril, je tournais *36* à Paris. En mai et jusqu'à la mi-juin, je tourne *Les temps qui changent* d'André Téchiné au Maroc. Je reviens quatre jours à Paris pour jouer au Châtelet et finir quelques doublages pour un film canadien. Puis, je pars à Aix-en-Provence pour le tournage de *Boudu sauvé des eaux* avec Gérard Jugnot. A mon retour, fin août, j'entame les répétitions d'une pièce de Henry James avec Fanny Ardant... Je n'arrête pas. Comment veux-tu que je touche des Assedic ? Quant aux intermittents du spectacle, même si je ne me suis pas suffisamment penché sur la question pour émettre un avis éclairé, je me sens spontanément solidaire de leur sort.

— Le cinéma n'est pas ta seule source de revenus. Depuis quelques années tu t'es lancé dans les affaires : le vin, le pétrole, la restauration... Quel est l'objectif : gagner plus d'argent ?

— En gagner plus, non. L'investir intelligemment, oui. Ce qui m'intéresse dans « les affaires » comme tu dis, ce n'est pas l'appât du gain, c'est l'aventure, le plaisir de rencontrer de nouvelles têtes, de découvrir de nouveaux horizons, le côté risque-tout... Si mon seul but était de faire de l'argent, j'investirais l'essentiel de mes revenus dans la Bourse. Moi, je suis un paysan : je crois à la pierre et à la terre. Quand j'ai de l'argent de côté, j'achète des appartements ou des vignes. Je sais très bien que ça choque des gens de me voir avec Gérard Bourgoin à Cuba pour des histoires de puits de pétrole. Au fond, on me le reproche comme l'on reprochait à Gabin ses terres en Normandie. En fait, je crois être victime de mon appétit de vivre. Le point commun entre toutes mes activités hors du cinéma, c'est la terre et ce qu'elle produit : du vin, du pétrole... Ce sont les mêmes valeurs, la même discipline de vie : bien manger, bien boire, bien vivre, respecter la nature, le sol et le sous-sol. Et puis, au départ de chacune de ces nouvelles aventures, il y a d'abord une histoire d'amitié...

— En clair, tu fais des affaires, mais tu n'es pas un affairiste...

— On peut le dire comme ça, en effet. Je ne suis pas un businessman, je suis un innocent qui aime la vie. En fait, je crois pouvoir dire que je suis un très mauvais homme d'affaires. Je n'ai pas la patience nécessaire. L'homme d'affaires, le vrai, doit avoir la patience du pêcheur à la ligne. Il lance sa canne et attend calmement que le poisson morde à l'hameçon. Moi, je suis trop pressé, je mouline trop vite. Comme sur certains tournages d'ailleurs, où j'ai la sensation qu'on pourrait faire les choses beaucoup plus vite. Je déteste perdre mon temps. En revanche, je suis très utile dans certains types d'affaires. Je sais communiquer mon enthousiasme, utiliser ma célébrité et mon entregent pour faire avancer certains dossiers, jouer les VRP, m'occuper des relations publiques et du marketing... En fait, au cinéma comme partout, je suis un entremetteur ! Depuis que je suis gosse, je suis comme ça. En revanche, je ne fais jamais rien qui serait contraire à ma nature. J'aime les gens, j'aime la vie, j'aime voir que l'argent investi produit quelque chose. Je n'aime pas, par exemple, l'idée de gagner de l'argent en dormant, pour reprendre l'expression de François Mitterrand. Pour moi, l'argent commence à avoir de la valeur lorsqu'il se matérialise dans quelque chose de concret et solide : la pierre, la terre, un restaurant...

— Pour toi, il est inconcevable de placer ton argent à la Bourse ou d'acheter des sicav...

— Intellectuellement, je peux me résoudre à prendre une assurance vie. Mais des sicav ou un portefeuille boursier, ça ne me ressemble pas. Tous mes investissements sont d'abord et avant tout des coups de cœur. Si j'ai acheté le château de Tigné, en Anjou, c'est pour ses vingt-cinq hectares de vigne. Ensuite, j'ai agrandi le domaine en rachetant d'autres terres. La terre travaille. La Bourse, en revanche, c'est totalement immatériel. C'est pour cette raison qu'un beau jour j'ai décidé de vendre toutes mes actions pour me lancer dans cette aventure du pétrole cubain. En Bourse, tu peux gagner beaucoup d'argent, mais tu peux aussi tout perdre du jour au lendemain. Un appartement ou des vignes, c'est immuable, c'est éternel.

— Tu prétends ne pas être un homme d'affaires. En revanche, parmi tes amis les plus proches, il y a beaucoup d'hommes d'affaires. Certains disent même « affairistes », justement...

— Avant d'être des hommes d'affaires, les amis dont tu parles sont d'abord des aventuriers. Des personnages presque shakespeariens. Ce qui me fascine chez eux, c'est que ce sont des animaux à sang froid. Tout le contraire de moi. De ce point de vue, Bernard Tapie, par exemple, n'est pas un homme d'affaires, c'est un saltimbanque.

— Le point commun entre toi et tes amis hommes d'affaires, c'est qu'ils sont partis de rien pour bâtir des fortunes gigantesques...

— Roger Zannier, Michel Reybier, Gérard Bourgoin... Ce sont tous des aventuriers qui se sont faits tout seuls, des *self-made men* comme on dit. D'une certaine manière, ils me ressemblent. François Pinault fait partie de ce genre de patrons. Je constate d'ailleurs qu'une fois fortune faite, tous ces grands industriels finissent toujours par se diriger vers l'art, vers une forme d'absolu. Pinault a bâti une collection absolument faramineuse, et, pour te dire la vérité, je trouvais cela un peu scandaleux. Mais, à partir du moment où il veut créer un grand musée d'art contemporain pour permettre au grand public de venir voir ces œuvres acquises à titre privé, je dis : « Chapeau ! »

— Je voudrais qu'on parle du domaine de Tigné. Pourquoi avoir choisi l'Anjou pour assouvir ta passion du vin ?

— C'est une histoire de terroir, de vin et de cépage. J'ai choisi Tigné tout simplement parce que j'aimais bien le cabernet sauvignon et le cabernet franc, ce cépage très typé qui donne au vin à la fois une certaine longévité et un côté rustique. Par ailleurs, le Chinonais, le côté rabelaisien de l'Anjou, la douceur angevine convenaient bien à mon caractère. Tout le contraire de la mentalité bordelaise. Moi, j'aime la paysannerie du vin, pas la bourgeoisie du vin.

— Qui t'a fait découvrir le château de Tigné ?

— Je l'ai découvert lors d'une tournée avec Barbara. Auparavant, j'avais visité le château de la Guignonnière, où j'avais goûté des quarts de chaume magnifiques, ces vins doux d'Anjou, issus à 100 % du cépage chenin qui donne des vins blancs moelleux type bonnezeaux ou coteaux du Layon en Anjou ou vouvray et montlouis en Touraine. En fait, c'est mon ami Jean Jarry, un caviste de Bougival, grand expert en vins, grand ami de Jean Carmet, qui m'a fait aimer cette région et découvrir ses vignes, ses terroirs, ses cépages. Il était capable de reconnaître un cépage à la feuille. L'hiver, il m'emmenait dans les vignes pour voir la taille. Il m'a tout appris...

— Aujourd'hui, le château et les vignes t'appartiennent-ils ?

— Oui. En fait, ça ne m'a pas coûté très cher : deux millions de francs pour le château et les vingt-cinq hectares de vignes. Un peu plus en vérité, parce que le château était inhabitable. Il a fallu refaire la toiture, l'eau, l'électricité... J'ai surtout racheté d'autres vignes autour et investi dans les chais pour près de quinze millions de francs. Aujourd'hui, Tigné, c'est une centaine d'hectares de vignes, un château et une jolie forêt. A raison de cinquante hectolitres par hectare, le domaine produit cinq cent mille litres de vin par an, soit environ sept cent mille bouteilles. C'est Dominique Polleau et sa famille qui gèrent le domaine. A titre personnel, je ne me verse aucun salaire. Le chiffre d'affaires est d'environ quinze millions de francs par an (*environ 2,3 millions d'euros*), et tous les bénéfices sont systématiquement réinvestis dans le domaine.

— J'ai lu que tu vendais ton vin aux enseignes de la grande distribution – à Carrefour notamment – et que tu écoulais, chaque année, près de cent mille bouteilles de vin cacher. J'ai même appris que deux rabbins venaient régulièrement au château de Tigné pour contrôler tout ça...

— Non, c'est fini tout ça. Nous vendions, effectivement, notre vin en Israël et dans des boutiques cacher à travers le monde, aux Etats-Unis notamment. Il me reste encore en stock pas mal de cuvées cacher d'ailleurs. Mais nous avons arrêté, il y a trois ou quatre ans : c'était devenu trop difficile de travailler avec Israël. C'est vrai que, pendant deux ans, deux rabbins, un jeune et un vieux, venaient au château pour contrôler la production. J'adorais participer à leurs discussions théologiques. Compte tenu de leur âge respectif, ils n'avaient pas la même approche de la religion, ils n'arrêtaient pas de se chamailler sur tout et sur rien... Par ailleurs, c'est vrai, je continue à vendre mon vin à Carrefour – environ cent cinquante mille bouteilles par an – et aux magasins Champion. Il y a quelques années, je vendais également notre appellation aux Russes, mais nous avons arrêté. En revanche, je viens de retrouver un marché en Italie et je vais sans doute reprendre les exportations vers les Etats-Unis.

— Le domaine de Tigné n'est pas ta seule activité viticole...

— Non, c'est vrai. J'ai également monté une association avec Bernard Magrez, le propriétaire de château pape-clément. Ensemble, nous exploitons des vignes à Aniane dans l'Aude, à Meknès au Maroc, à Tlemcen en Algérie... En Algérie et au Maroc, les vignes ne nous appartiennent pas, nous les louons. Notre idée commune consiste à exploiter des petites parcelles de trois ou quatre hectares où nous installons un chais et tout le matériel nécessaire de micro-vinification. A Meknès, le vin s'appelle « Lumière de l'Atlas ». A Tlemcen, c'est le domaine Saint-Augustin, avec sa cuvée prestige « Monica » (*du nom de la mère de saint Augustin*), entièrement effeuillée et ramassée à la main. Il y a aussi « Confiance », « le Bien Mérité »... dans le Bordelais, le Languedoc, l'Hérault. Certains de ces vins sont d'ailleurs très bien notés au guide Parker. En fait, le vin est devenu une vraie passion. Je ne cherche pas à produire des grands crus. Comme Jean Carmet, je préfère les vins de soif, des vins simples, proches de la terre, des vins de partage... L'univers viticole me passionne tellement que je vais sans doute incarner bientôt un héros récurrent pour la télévision : une série que je vais coproduire avec GMT et Arnaud Lagardère où le héros, pour une fois, ne sera ni flic, ni toubib, mais œnologue. Un œnologue qui, à chaque épisode, tombe sur une énigme policière. Il devient alors une sorte de détective privé qui doit résoudre des affaires grâce à son flair hors pair.

— C'est un scoop, ça ! Sur quelle chaîne ?

— A l'heure qu'il est, on ne l'a pas encore vendue. Pour le moment, on peaufine l'écriture et les intrigues. Ensuite, on tournera un pilote. Mais le personnage est magnifique. Il a une passion : le vin. Cette passion lui procure des dons d'expert qu'il met au service de la vérité.

— A propos de fiction, il paraît que tu as envisagé d'acheter les droits du livre de Jean-Marie Messier, *J2M.com* pour l'adapter au cinéma. C'est vrai ?

— Oui, oui, c'est la vérité. Le parcours de Messier me faisait penser à la pièce de Peter Handke, *Les gens déraisonnables sont en voie de disparition*. Je trouvais ce type hallucinant. Du jour au lendemain, il décide de s'acheter une culture. Il contrôle l'eau à travers Vivendi, l'ex-Générale des Eaux, et il décide, à la manière des Américains, de conquérir l'espace, les satellites, la communication pour devenir le maître du monde du divertissement. La mégalomanie la plus absolue ! D'une certaine manière, il est lui aussi un personnage shakespearien. Humainement, c'est passionnant. Mais j'ai abandonné l'idée lorsque j'ai pris conscience que cette histoire n'intéresserait personne d'autre que moi.

— A propos de personnage shakespearien, je voudrais qu'on parle de ton association avec Gérard Bourgoin et de cette aventure du pétrole à Cuba. Mais qu'allais-tu donc faire dans cette galère ?

— Gérard Bourgoin est un ami. Malgré tous les problèmes qu'il a rencontrés avec la justice, il reste mon ami. J'aime son tempérament fougueux, son sens de l'aventure humaine, son appétit du risque. Le pétrole à Cuba, c'est d'abord ça : une histoire d'amitié et une formidable aventure humaine. D'une certaine manière, cette aventure m'a libéré. Je disposais d'un petit pécule sur un compte en banque, qui correspondait à mes dividendes de la D.D. Productions. Du jour au lendemain, en 1996, j'ai tout investi, je ne saurais pas te dire précisément combien. A partir de là, j'ai fait ce que je sais faire : l'entremetteur, le VRP. Convaincre des gens d'investir dans ce qui n'est encore que du vent sur la seule base de nos analyses sismiques. Négocier avec le gouvernement cubain et obtenir que tout ce que l'on trouvera sous les quatre cents mètres de profondeur appartiendra à notre société, Pebercan...

— Pendant trois ans, vous êtes restés bredouilles. Pas la moindre nappe de pétrole à l'horizon...

— ... jusqu'au 12 février 1999 où, tout à coup, nous sommes tombés sur un gisement. Aujourd'hui, je crois que nous produisons environ quatorze mille barils par jour, mais tous les bénéfices sont entièrement réinvestis. Les recherches sismiques valent cher, chaque trou percé coûte une fortune. Sans qu'on soit certain, à chaque forage, de trouver une nouvelle nappe. Autrement dit, je ne suis pas près de gagner de l'argent avec cet investissement. Mais ce n'est pas le plus important. L'essentiel, c'est que ce travail m'a permis de côtoyer des gens extraordinaires. Le pétrole, c'est magique. Tu analyses des petits bouts de roche au microscope, tu perces, tu creuses, tu fores jusqu'à quatre mille mètres de profondeur... C'est un autre monde. Je suis allé à Calgary par − 50° voir des gens travailler sur des rigs. C'est un monde où tout est disproportionné, où la moindre vis a la taille d'une roue de voiture. On sait que, dans le golfe du Mexique, il y a du pétrole, *off shore* et *on shore*. Mais où ? Mystère. Les sociétés pétrolières sont des sociétés à risques, comme les mines d'or et les mines de diamants. Tu creuses sans savoir avec certitude si tu vas trouver quelque chose. C'est ça qui est beau.

— Ce que tu appelles le rig, c'est en réalité un puits de forage...

— Un puits de forage, un derrick, oui. Au début, on n'en avait pas. Nous sommes allés en dénicher un au fin fond de l'Amazonie, avec Gérard Bourgoin et nos associés. C'est dans ces moments-là que tu comprends à quel point la recherche pétrolière est, au sens propre du terme, une véritable aventure. On avait acheté un rig, mais lorsque nous sommes arrivés sur place, on s'est rendu compte qu'il avait été vendu deux fois : à nous et à des Américains. Nous étions cinq, l'Américain était tout seul. On a emporté le morceau, au culot !

— A aucun moment, le régime politique cubain ne t'a dissuadé de te lancer dans cette aventure...

— Bien sûr, je me suis interrogé. Je sais qu'à Cuba, il se passait des choses terrifiantes dans les années 70, qu'on enfermait des gens uniquement parce qu'ils étaient homosexuels. Mais je savais aussi que le gouvernement français s'intéressait au pétrole cubain, par l'intermédiaire du groupe Elf. Le programme de recherches pétrolières avait été annulé après la mort de Pierre Bérégovoy. Michel Charasse s'était même rendu sur place, là-bas, avec Gérard Bourgoin et son fils qui vendait alors des poulets à Cuba. Le fils de Gérard était très ami avec

Fidel Castro. C'est lorsque le gouvernement français a décidé de reprendre ses billes que Gérard s'est dit : « Même sans Elf, je vais essayer de monter un tour de table avec des amis. » Jean Carmet m'avait présenté Gérard Bourgoin. Bourgoin a fait appel à moi, et voilà...

— Je repose ma question : est-ce que la nature du régime castriste t'a fait hésiter ?

— Non, je l'avoue. Mais c'est ainsi chaque fois que je dois prendre une décision : j'essaie de ne pas trop me poser de questions. C'est un défaut ou une qualité, je n'en sais rien, mais c'est ainsi. Ou plutôt, je me pose des questions, mais sans me soucier de la réponse. Avant la chute du mur de Berlin et le processus de libéralisation dans les pays du bloc soviétique, on m'avait proposé d'aller au festival de Moscou pour la promotion d'un film. J'aurais pu refuser d'aller cautionner un régime communiste. Mais je me suis dit : « Pourquoi pénaliser le public russe ? » C'était l'époque de la Perestroïka, Robert de Niro était président du festival. Marcello Mastroianni était présent lui aussi... Finalement, j'y suis allé. J'ai rencontré Mikhaïl Gorbatchev, j'ai senti le vent de liberté qui commençait à souffler à l'est, et je ne regrette absolument pas de l'avoir fait. A Cuba, c'est la même chose. La Havane de la fin des années 90 n'a rien à voir avec La Havane des années 70. La vie a considérablement changé, le régime politique s'est assoupli. Fidel lui-même a changé. Bref, j'ai accepté de rencontrer cet homme qui a fait rêver tant de gens et sur lequel on a dit tant de choses terribles. Je peux te dire que lui aussi est une sorte de monstre shakespearien. Lors de notre première entrevue, je lui ai donné la recette des rillettes au lapin. (*Grand éclat de rire.*) Véridique ! Il me disait : « Gérard, quel est le secret de la rillette ? » Et moi, je m'entendais lui répondre : « La qualité du lapin, Fidel. La qualité du lapin...! » C'était une discussion surréaliste. Il savait tout de moi, de ma carrière, de mes films. Il nous était surtout très reconnaissant de venir chez lui, tels des chercheurs d'or de l'Ouest américain.

— As-tu au moins pris le temps d'aller voir l'envers du décor cubain ?

— Je me suis un peu promené dans l'île, j'ai visité des hôpitaux, des écoles. Cela ne signifie pas que j'ai percé les mystères de l'envers du décor cubain. Mais j'ai tout de même pu constater à quel point les choses avaient changé depuis vingt ans : la médecine pour tous, 98 % des gens savent lire... Je me souviens d'une de nos premières conversations avec Fidel Castro au cours de laquelle je m'étonnais qu'il n'y ait aucun mode de transports en commun. Aujourd'hui, ça y est, ils ont des bus. Je suis bien conscient que tout n'est pas parfait, loin de là, mais les conditions de vie se sont considérablement améliorées. Il se trouve que j'étais à Cuba quand Fidel Castro a fait abattre ce Cesna qui avait décollé de Floride et à bord duquel des Cubains de Miami balançaient des tracts au-dessus de La Havane. Il m'a dit : « Je n'avais pas le choix, je ne pouvais pas le faire intercepter par nos avions de chasse. » Et il a ajouté : « Si je faisais cela au-dessus du territoire américain, ils m'abattraient aussi. » Je mentirais si je te disais que Cuba est devenu un modèle de démocratie et de libéralisme, mais je suis sûr qu'il y a bien pire ailleurs. J'avais d'ailleurs suggéré à Fidel de créer, à La Havane, une sorte de Villa Médicis des Caraïbes, pour sortir Cuba de son ghetto culturel et promouvoir, entre autres, la musique et la poésie cubaines. Faire connaître José Marti en Europe, c'était un beau projet, non ? Il n'a malheureusement jamais vu le jour. Mais les Cubains ont néanmoins créé un festival des films du monde où même les Américains sont conviés. Je constate d'ailleurs avec étonnement, et malgré l'embargo, qu'il y a beaucoup d'hommes d'affaires américains à Cuba, via des sociétés canadiennes notamment. Il y a aussi des Mexicains, des Espagnols, des Italiens qui montent des *joint-ventures*. Il y a même des généraux américains qui viennent participer à des parties de chasse... Entre les Américains et les Cubains, je crois qu'il y a beaucoup d'hypocrisie. Mais, cela dit, je suis conscient qu'à Cuba tout n'est pas rose.

— Avec Vladimir Meciar non plus, tu ne t'es pas posé beaucoup de questions. Le 20 septembre 1998, tu te rends en Slovaquie, en compagnie du top model Claudia Schiffer et de quelques autres vedettes pour soutenir l'ex-Premier ministre slovaque. Pourquoi as-tu accepté de te fourvoyer auprès de ce leader populiste ? Pour de l'argent ?

— Vladimir Meciar est pire qu'un populiste, c'est un vrai fasciste, un clone de Le Pen. Le problème, c'est que je m'en suis rendu compte trop tard. L'affaire Meciar, c'est une connerie. Une énorme connerie que je regrette amèrement. C'est un intermédiaire français qui m'a convaincu d'y aller. Moi, je me suis dit que j'allais rencontrer des vignerons slovaques et essayer de leur vendre mon vin, comme je fais en Hongrie et dans tous les pays dans lesquels je me déplace. Or, même les vignerons que j'ai rencontrés sur place appartenaient à ce parti nationaliste. Que des fachos ! Un vrai cauchemar. Jamais je ne me suis senti aussi mal à l'aise dans mes baskets. Malheureusement, il était trop tard pour faire demi-tour. Mais je peux te dire que cela m'a servi de leçon : plus jamais je ne me prêterai à ce genre de cirque. Je n'étais pas seul à m'être fait piéger : il y avait Claudia Schiffer, Claude Brasseur...

— Mais je repose ma question : as-tu touché de l'argent pour aller soutenir Meciar ?
— Oui, j'ai touché de l'argent. De l'argent que j'ai d'ailleurs déclaré aux impôts. Mais, je te le répète, c'était

une grave erreur que je regrette amèrement et que je ne suis pas près de commettre de nouveau. J'avoue que je ne connaissais pas Meciar. Avant de partir en Slovaquie, j'ai appelé Jacques Attali pour lui demander son avis sur ce voyage. Il m'a dit qu'il n'y avait pas de problème, que Meciar était un démocrate, qu'il participait le plus démocratiquement du monde aux élections organisées dans son pays, mais à aucun moment il ne s'est appesanti sur les idées que défend Meciar. Encore une fois, j'ai eu tort, mais je peux aussi te dire que ça m'a servi de leçon. Plus jamais !

— Un autre de tes amis t'a valu pas mal de critiques : Abdelmoumen Khalifa.

— Moumen, c'est différent. Moumen était un ami et il le reste aujourd'hui encore. Je n'ai pas l'habitude de lâcher mes amis lorsqu'ils sont dans la difficulté. Je sais tout ce qu'on a dit et écrit sur lui ; on a même prétendu qu'il travaillait avec l'argent des généraux algériens. Tu te doutes bien que je ne sais rien de tout ça. Je suppose seulement que, derrière toute cette histoire, il y a nécessairement des enjeux politiques qui m'échappent. Peut-être qu'à un moment précis — lequel et pourquoi, je l'ignore — Moumen a cessé de jouer le jeu avec le gouvernement algérien. Mais il ne faut pas m'en demander plus, je ne sais absolument rien. La seule chose que je sache, c'est qu'il a commencé à s'abîmer dans la vodka et que l'alcool lui a tourné la tête.

— Comment as-tu fait sa connaissance ?

— Il m'avait invité à Alger pour assister à un match entre l'équipe nationale d'Algérie et l'Olympique de Marseille dont il était alors le sponsor maillot. Dans la tribune présidentielle, je me trouvais aux côtés de Jacques Chancel, de Catherine Deneuve, d'Abdelaziz Bouteflika, le chef de l'Etat algérien... « Boutef » s'est levé, il s'est dirigé vers moi et m'a pris dans ses bras en me tutoyant : « Merci, Gérard, d'être venu. J'admire beaucoup tout ce que tu fais... » L'ambiance était plutôt bon enfant, surtout après le fiasco du match France-Algérie à Paris où les spectateurs avaient envahi le terrain avant la fin du match. C'était la première fois également que je rencontrais son Premier ministre d'alors, Ali Benflis. Pendant le match, nous étions assis l'un à côté de l'autre et nous échangions des vers de *Phèdre* et d'*Andromaque*. Il connaissait Racine par cœur. Bref, j'ai passé une excellente soirée et, dès lors, je suis resté fidèle à Abdelmoumen Khalifa. J'ai accepté, à sa demande, de participer à des soirées ; pour lui rendre service, j'ai joué les M. Bons Offices auprès des gouvernements français et canadien pour lui permettre d'ouvrir de nouvelles lignes aériennes. Mais sans jamais toucher un franc, tu m'entends : pas un franc. Je sais que Moumen distribuait beaucoup d'argent autour de lui, mais moi, je n'ai pas accepté d'argent.

— Aucune contrepartie financière ?

— Je te le répète : je suis intervenu en faveur de Moumen auprès de Jean-Claude Gayssot, le ministre communiste des Transports de l'époque que je connaissais bien, et auprès du gouvernement canadien pour faire ouvrir de nouvelles lignes aériennes entre Alger et Paris, et entre Alger et Toronto et Montréal. J'ai même essayé de le brancher avec Washington. Voilà, j'ai joué les « Madame Claude », comme d'habitude. Mais pour pas un rond ! Rien, pas un centime. Ni pour ma présence à ce match Algérie-OM, ni pour mes interventions gracieuses. Je l'ai fait par amitié. D'autres que moi, en pareilles circonstances, en auraient sans doute profité pour toucher de juteuses commissions au passage. Pas moi. Pour des raisons que j'ignore, je crois qu'il a perdu la confiance des officiels algériens. Moi, je lui ai accordé la mienne, je n'ai aucune raison de la lui retirer.

— Il a tout de même « planté » des milliers d'épargnants, laissé sur le carreau des dizaines de salariés sans emploi et il fait l'objet d'une enquête judiciaire...

— Je sais tout cela. Mais je ne vois pas pourquoi je le renierais pour autant. Je ne le vois plus, mais je sais qu'il est à Londres. Il m'a téléphoné récemment ; de temps en temps, j'ai sa tante au bout du fil. Mais je ne sais pas comment le joindre. Il faut d'ailleurs que j'aille à Alger pour rencontrer Abdelaziz Bouteflika et régler, avec lui, un certain nombre d'affaires concernant nos domaines viticoles à Tlemcen. Khalifa avait des parts dans ces vignes que nous louons en Algérie. C'est Ali Benflis qui, à l'époque, m'avait demandé de faire venir des hommes d'affaires en Algérie. Je lui ai présenté Bernard Magrez et Roger Zannier ; ensemble, on a rencontré le ministre de l'Agriculture, et c'est ainsi qu'est né le domaine Saint-Augustin... Aujourd'hui, nous faisons du vin en Algérie, mais j'aurais adoré aussi faire des tomates en conserve, des jus d'orange...

— Le moins que l'on puisse dire, à propos de Khalifa, c'est que cette amitié n'a pas été très bénéfique pour ton image...

— ... C'est bien le cadet de mes soucis !

— C'est peut-être le cadet de tes soucis, mais en mars 2003, le président de la République, Jacques Chirac, avait organisé un voyage officiel en Algérie auquel tu étais censé participer. Or, tu étais absent de la délégation officielle. Certains ont dit que l'Elysée t'avait rayé des listes à cause de ton amitié un peu trop voyante avec Khalifa ; d'autres ont prétendu que tu t'étais volontairement abstenu de participer à ce déplacement pour ne pas gêner le Président. Où est la vérité ?

— Il est exact que je devais participer à ce voyage officiel. J'ai dû moi-même y renoncer parce que j'étais en plein tournage et que je ne pouvais pas me libérer. Personne n'a rayé personne des listes. Bouteflika m'a même dit qu'il regrettait mon absence. Quant au président Chirac, j'ai toujours eu d'excellentes relations avec lui. Dans son entourage, on m'a juste conseillé de me méfier de ma proximité avec Moumen, sans d'ailleurs m'expliquer pourquoi précisément. Mais, à aucun moment, je n'ai été tricard à l'Elysée. Moi, de toute façon, je ne m'engage dans des activités hors cinéma que si je suis en confiance, si je peux développer ces activités avec des amis. Le vin en Algérie avec Boutef et Khalifa, le pétrole avec Gérard Bourgoin...

— ... Et l'A. J. Auxerre, le club de football de Guy Roux ?

— Même chose : je l'ai fait parce qu'il y avait Gérard Bourgoin. C'est un coup de cœur, tout simplement. J'aime bien la mentalité de ceux qui dirigent ce club. Ils font des miracles avec un budget ridicule comparé à ceux des grosses cylindrées du championnat de France. Soixante millions de francs, c'est la moitié ou le tiers de ce que dépensent l'Olympique Lyonnais ou le PSG. J'aime bien cette idée qu'à l'ère de l'argent-roi on puisse gagner sur le terrain contre des clubs ultrariches et des joueurs surpayés. Ça doit être mon côté paysan... Ensuite, les choses se sont enchaînées naturellement. Il se trouve que j'étais présent lors d'un ou deux matchs importants que l'A. J. Auxerre a remportés. C'était en 1996 ; je suis devenu une sorte de mascotte pour le club, je prenais le bus avec les joueurs, je les rejoignais dans les vestiaires après les rencontres, j'étais très ami avec Bernard Diomède, Laurent Blanc, Lionel Charbonnier et quelques autres... Et puis, au fil des matchs, je me suis laissé gagner par l'excitation de la victoire. J'ai pris un plaisir inouï à assister aux matchs, à soutenir les copains. Et voilà... Il n'y a rien d'autre à comprendre dans cette

histoire. Le simple plaisir de vivre, avec des amis qu'on
apprécie, une aventure hors du commun...

— Et le rugby à Bordeaux-Bègles, une simple histoire
de plaisir là encore ?
— De plaisir et d'amitié, oui. A titre personnel, je n'ai
rien investi dans le club, sinon mon temps et ma notoriété. Mon ami Bernard Magrez était président du club.
J'ai suggéré à Moumen Khalifa de devenir sponsor du
club, comme il l'était déjà pour l'OM. Il devait verser
deux millions de francs au club de Bordeaux-Bègles : il
ne l'a jamais fait. C'est Bernard Magrez, à travers sa
société William-Pitters, qui l'a remplacé. Bernard,
comme tous les chefs d'entreprise que je côtoie, est un
type droit.

— Ils ont un point commun, tous ces chefs d'entreprise avec lesquels tu fais des affaires : ils n'appartiennent
pas à l'establishment français des affaires...
— C'est même le contraire de l'aristocratie du busi-
ness à la française. Eux ne doivent rien à l'Etat. Ils ne se
sont jamais sucrés sur le dos du Crédit lyonnais. Ils se
sont faits tout seuls. Certains, comme Gérard Bourgoin,
ont pu commettre des erreurs, certes, mais eux au moins
ne doivent rien à personne. Gérard a commencé à perdre
pied quand son fils, auquel il avait tout légué, est
décédé.

— Il t'arrive, parfois, de prendre des décisions à l'em-
porte-pièce qui, à l'examen, peuvent nuire à ton image.
Ainsi, en novembre 2000, ton nom s'est retrouvé propulsé à la rubrique des faits divers. Tu as, en effet, été
entendu par le juge Courroye, dans le cadre d'une affaire
de blanchiment d'argent liée à l'avocat fiscaliste Allain
Guilloux. Peux-tu m'expliquer ce qui t'est passé par la

tête lorsque tu as accepté de payer sa caution fixée par le juge à deux millions de francs ?

— Il faut se replacer dans le contexte de l'époque. Je venais de subir un quintuple pontage, j'étais passé très près de la grande faucheuse. Psychologiquement, j'avais l'impression de vivre une sorte de renaissance personnelle, une résurrection. Un jour, j'ai reçu un coup de téléphone de l'épouse d'Allain Guilloux. Elle était désemparée. Quelques mois auparavant, j'avais rencontré Allain Guilloux par l'intermédiaire de Karine (*Sylla*) qui, elle-même, avait une amie qui travaillait dans le même cabinet d'avocats. Guilloux était un personnage très sympathique, amateur de cinéma. Il avait beaucoup de charme, un vrai charisme, nous avions même un ami commun en la personne du producteur de cinéma Alain Terzian. Je précise qu'Allain Guilloux n'a jamais été mon avocat. Comme je te l'ai dit, mon avocat fiscaliste, depuis des années, s'appelle Michel Gryner.

— Donc, sa femme t'appelle...

— Elle m'appelle, me raconte que son mari est en prison et qu'elle essaie vainement de réunir la caution nécessaire pour le faire sortir : deux millions de francs, une somme ! Elle m'explique qu'elle a déjà contacté des amis et qu'elle n'est parvenue à réunir que cinq cent mille francs. Je lui ai dit : « Je vais voir ce que je peux faire. » J'ai aussitôt téléphoné à mon banquier, Gabriel Méar. Je lui ai demandé si je pouvais disposer immédiatement de deux millions de francs, « pour payer la caution d'un ami ». Il se trouve que je disposais de la somme nécessaire : je l'ai aussitôt mise à disposition de l'épouse d'Allain Guilloux. Inutile de te dire qu'à ce moment-là j'ignorais totalement pour quelle raison il était incarcéré...

— En l'occurrence pour blanchiment. Mais sans savoir ce que la justice lui reproche, tu verses deux millions de francs à quelqu'un que tu as rencontré trois ou quatre fois...

— Le juge Courroye aussi trouvait ce geste insolite. Selon lui, si j'avais accepté de payer une telle somme, c'était forcément que Guilloux m'avait préalablement rendu service. Bah non ! Je l'ai fait comme ça, pour rien, sur un coup de tête.

— Et où en est cette affaire ?

— J'ai été reçu par le juge Courroye en novembre 2000, et depuis, plus de nouvelles. Gabriel Méar, mon banquier, a lui aussi été entendu comme témoin par le juge. Je suppose qu'ils ont mené leur enquête. Mais, en l'occurrence, il n'y avait rien à trouver, tout est transparent. Toutes mes affaires sont réunies à la Société Générale depuis trente ans. J'ai eu de nombreux contrôles fiscaux à la D.D. Productions : je n'ai jamais été redressé une seule fois. Bref, je n'ai rien à cacher. Je n'ai aucun mérite, c'est Michel Gryner, mon avocat fiscaliste, qui s'occupe de tout. J'ai eu d'autant plus de facilité à obtenir récemment un échéancier fiscal que j'ai toujours été réglo avec les impôts. Grâce à Michel, d'ailleurs. Je crois même savoir qu'il a reçu des félicitations orales de la part de l'administration fiscale pour la manière dont mes comptes sont tenus. C'est l'une de mes grandes chances dans la vie : je suis bien entouré. Ce sont eux qui fixent les limites, ce que j'ai le droit de faire et de ne pas faire. Ça fait trente ans qu'ils me mettent en garde, trente ans que je les écoute scrupuleusement. C'est parfois un peu pénible, mais je dois dire que je n'ai jamais eu à le regretter.

— Dans un tout autre registre, on a vu également ton nom accolé à celui de l'enseigne Planet Hollywood et de sa pléiade de stars, Silvester Stalone, Bruce Willis, Demi Moore... Encore une histoire d'amitié, vraiment ?

— Eh bien oui, figure-toi ! C'est Whoopi Goldberg qui m'a entraîné dans cette histoire. Whoopi est une de mes meilleures amies, je l'adore. Humainement et politiquement, c'est une femme remarquable. D'ailleurs, je devais l'emmener avec moi à Cuba pour rencontrer Fidel Castro, mais elle a reçu des menaces de mort et elle a finalement dû renoncer à faire le voyage. Fidel était très déçu, et je crois même qu'ils se sont parlé au téléphone... Toujours est-il que c'est elle qui m'a mis en contact avec les responsables de Planet Hollywood.

— Combien as-tu investi dans ces restaurants ?
— Pas un centime et, contrairement à ce qui a été écrit, je n'ai jamais siégé au conseil d'administration. Normalement, ils te paient pour participer à des opérations de relations publiques. J'ai refusé, là encore, d'être payé. La seule chose qui m'intéressait, c'est qu'ils achètent mon vin. C'était la toute première vendange, mon vin était encore un peu dur, mais ils m'ont fait confiance. De mémoire, ils ont acheté soixante-dix mille bouteilles...

— La presse a dit que tu possédais des stock-options de Planet Hollywood. Vrai ou faux ?
— Franchement, je ne crois pas. Mais pour moi, je te le répète, l'essentiel était vraiment de leur vendre mon vin.

— Parmi tes nombreuses activités, il en est une que l'on n'a pas encore évoquée, c'est la publicité. Quel besoin as-tu de prêter ton image à des campagnes de pub comme celles des pâtes Barilla ?
— D'abord, soyons honnêtes, c'est lucratif...

— Combien ?
— Environ dix-neuf millions de francs au total, pour cinq films différents. Mais au-delà de l'aspect financier, le produit correspondait assez bien, je crois, à ma nature de bon vivant. C'était très plaisant de tourner ces pubs

avec des enfants. Et surtout, ces spots m'ont permis de travailler avec des réalisateurs comme David Lynch, Ridley Scott avec lequel, dans la foulée, j'ai tourné *1492*, Jean-Paul Rappeneau, Jean-Pierre Jeunet...

— Je crois que tu as aussi tourné une pub pour du fromage blanc...

— Oui, pour la marque Senoble dont le patron était un ami de chasse qui, depuis, est mort d'un cancer. De mémoire, c'est son fils qui me l'avait demandé. Nous n'avons pas poursuivi l'expérience. En fait, comme je n'ai pas très envie de tourner dans des publicités, je réclame des cachets exorbitants. Tu sais, c'est la fameuse phrase de Courteline : « Si vous voulez chasser l'amant de votre femme, demandez-lui de l'argent ! »

— On parlait, il y a quelques instants, de tes relations avec Jacques Chirac. En mars 1997, tu as participé à un voyage officiel en Roumanie avec le président de la République, en compagnie de grands capitaines d'industrie comme Jean-Luc Lagardère et Martin Bouygues. A quel titre fais-tu partie de ce genre de délégations ? Homme d'affaires ou acteur et donc vitrine culturelle de la France ?

— Certainement pas en qualité d'homme d'affaires. Mais c'est à Jacques Chirac qu'il faudrait poser la question. Pour ma part, je trouve passionnant de participer à ce genre de voyages. Contrairement à ce qu'il veut bien faire croire, Chirac est un puits de science, il est passionné par la culture japonaise, il a toujours mille anecdotes à raconter et, surtout, c'est un bon vivant. Je m'entends aussi très bien avec sa fille, Claude.

— Un grand journal anglais qui couvrait ce voyage officiel a failli écrire qu'entre Claude Chirac et Gérard Depardieu il y avait plus qu'une relation d'amitié. Mais le journal s'est, paraît-il, ravisé, de peur d'être tricard à l'Elysée. Qu'en est-il au juste ?

— Non, c'est absolument faux. Je n'ai, avec Claude Chirac, que des relations d'amitié. On s'entend très bien, on aime bien rire ensemble. En général, dans ce genre de voyages très sérieux, je fais un peu office de GO, j'amuse la galerie. Claude est une fille que j'aime beaucoup. En fait, mes liens avec la famille Chirac ont débuté grâce à Line Renaud qui, elle-même, est très liée à Bernadette Chirac. Claude m'épate. Je sais qu'elle joue un rôle primordial auprès de son père. Elle est extrêmement performante et elle sait, en même temps, rester très discrète. C'est un vrai signe d'intelligence. Quant aux ragots me concernant, ils sont malheureusement fréquents. En trente ans de carrière, j'ai absolument tout entendu...

— On a beaucoup parlé de tes revenus, de tes affaires. On n'a pas encore évoqué ton train de vie...

— Riche ou pas riche, on ne mange jamais que trois fois par jour ! Je n'ai pas un train de vie de milliardaire, loin de là. Je n'ai jamais cessé d'être un paysan. Je vis dans l'aisance, c'est indiscutable, mais je n'ai aucun goût de luxe. J'apprécie les choses simples, le vin, la bonne chère... Et je les apprécie d'autant plus que je peux les partager avec les gens que j'aime. Je ne jette pas l'argent par les fenêtres, ce n'est pas dans ma nature, mais je crois être assez généreux avec mes amis et avec mes proches. Mon seul luxe, ce sont les avions. Je vis à cent à l'heure, toujours entre deux tournages, toujours entre deux voyages en province ou à l'étranger. Pour pouvoir tout assumer, je dois gagner du temps sur le temps. La seule manière d'y parvenir, ce sont les avions. Je loue, et c'est un vrai luxe, un avion privé pour la quasi-totalité de mes déplacements. Ça me coûte une fortune, mais c'est la seule manière de pouvoir faire tout ce que j'entreprends. Je n'ai pas les moyens d'acquérir un jet privé et de l'entretenir. Donc, je le loue avec l'équipage et je le paie sur ma cassette personnelle. Ce n'est pas la D.D. Productions qui paie, ce ne sont pas les producteurs des films qui régalent, c'est Depardieu tout seul. Me déplacer le plus vite possible d'un endroit à un autre sans jamais être embêté, voilà mon seul luxe. C'est pour cela, d'ailleurs, que je préfère la moto à la voiture. Sous mon casque, personne ne me reconnaît. Je possède une Yamaha 1 300 cm³, mais je n'ai ni voiture de luxe, ni chauffeur.

— Tu possèdes également quelques jolies œuvres d'art...

— Je possédais... C'est vrai, j'aime l'art, mais pas pour le thésauriser à des fins privées. En fait, ce que je préfère dans l'art, ce sont les artistes eux-mêmes. On m'a récemment présenté Natsuko, une jeune artiste japonaise de trente ans. Ce qui m'intéresse, ce n'est pas de posséder ses œuvres, mais de l'aider à faire connaître son art. J'ai rencontré sa famille : son père est directeur de musée, sa mère travaille au Conservatoire de musique de Tokyo, son frère est un fin lettré... Après avoir exposé en Italie, elle vient aujourd'hui à Paris où je l'ai aidée à organiser une exposition pour qu'elle puisse montrer ses toiles : elle a rencontré un immense succès, elle en était d'ailleurs très émue. De même, dans quelques jours, dans mon restaurant, La Fontaine Gaillon, je vais exposer le travail de Dean Tavoularis. Dean est un artiste hors pair et un ami. C'est le mari de la comédienne Aurore Clément et il est l'art director de Francis Ford Coppola. D'une certaine manière, il me fait penser à Maurice Pialat. J'aurais tellement aimé que Maurice puisse lui aussi montrer ses toiles au plus grand nombre... A titre personnel, je n'ai pas l'âme d'un collectionneur, ni celle d'un investisseur. L'achat d'art fonctionne nécessairement au coup de cœur. Quand j'achète une œuvre, ce n'est pas pour faire un investissement. Ce n'est pas non plus pour enrichir une collection. C'est pour vivre, au quotidien, à côté d'une œuvre qui parle à ce que l'on a de plus beau en soi. Tu as vu les murs de ma maison : ils sont presque tous vides. J'aime ce minimalisme, il permet de mieux comprendre l'espace, d'imaginer ce qui pourrait prendre place sur tel ou tel mur. Ce qui compte, c'est la valeur sentimentale d'une œuvre : les peintures de Maurice Pialat comptent beaucoup pour moi, comme ce fauteuil design que l'on m'a offert, ou ce portrait de moi peint par un artiste russe... Chez moi, je ne veux plus que le strict minimum. Je ne pourrais pas vivre dans un fouillis de souvenirs, de bibelots... Sauf les livres. Ça oui : les livres, j'en ai besoin ! Mais ne sont sortis sur les étagères de la bibliothèque que les livres que j'ai déjà lus. Je me sens coupable de voir tout ce que je n'ai pas lu. Je ne supporte pas d'avoir sous les yeux des livres dont j'ignore le contenu. Ceux que je n'ai pas encore ouverts sont dans des cartons, je les sors au fur et à mesure. Ils sont tous répertoriés. Quand je souhaite me plonger dans une œuvre, je sais où la trouver. Là, par exemple, je viens de lire l'œuvre de Jacques Prévert dans la Pléiade...

— Minimalisme, peut-être, mais j'ai tout de même l'impression que tu es plus dépensier que tu ne veux bien l'avouer...

— Il m'arrive, je l'avoue, de faire de beaux cadeaux aux gens que j'aime. Des bijoux notamment. J'aime les belles pierres et j'adore les offrir aux femmes. A Carole bien sûr, mais aussi à des amies.

— Je reviens à ton train de vie. Il y a d'abord cet hôtel particulier où tu vis, dans le 16e arrondissement de Paris...

— ... Une jolie maison, oui, avec un beau jardin où je me sens très bien.

— Il y a aussi le magnifique hôtel particulier de la rue du Cherche-Midi dans le 6ᵉ arrondissement de Paris...

— Oui, mais il appartient à la D.D. Productions. Je suis d'ailleurs en train d'y réaliser des travaux assez lourds que je vais payer moi-même car la D.D. Productions n'est pas en mesure de les supporter.

— Voici un peu plus de dix-huit mois, tu as également investi pas mal d'argent dans un restaurant, La Fontaine Gaillon, près de l'Opéra, dans un très bel hôtel particulier construit par Hardouin-Mansart en 1672. Un lieu chargé d'histoire, d'ailleurs, puisque la fille de Louis XIV, puis le duc de Richelieu, entre autres, en ont été, un temps, propriétaires. Pourquoi un restaurant ? Juste pour le plaisir ? Pour diversifier tes activités ? Gagner de l'argent ?

— En fait, ouvrir un restaurant était l'un de mes vieux rêves. Quand l'agence Artmédia était installée avenue George-V à Paris, j'allais souvent déjeuner chez « Marius et Jeannette » où travaillaient, en cuisine, Frédéric Ragot et Laurent Audiot. A l'époque, j'avais failli acheter le Relais George-V, juste à côté du Crazy Horse, mais le propriétaire du fonds de commerce en réclamait plus de neuf millions de francs, sans les murs. Beaucoup trop cher pour moi. Et puis, la restauration est un métier qui ne s'improvise pas. Je n'étais sans doute pas encore prêt à me lancer dans une telle aventure. Il y a dix-huit mois, je suis enfin passé à l'acte. On s'est lancés à quatre, avec Bernard Magrez, Michel Reybier et Roger Zannier. L'investissement est d'environ vingt millions de francs pour les murs et le fonds. Tout à crédit ! Nous sommes, tous les quatre, actionnaires de la Société Pierre qui possède le restaurant. Et Laurent Audiot, qui tient les cuisines de main de maître, est actionnaire de la société d'exploitation, avec Carole Bouquet et moi-même.

— Es-tu salarié ?

— Non, comme à Tigné, je ne me verse aucun salaire. Après toutes ces années, je viens juste de m'attribuer un salaire sur la D.D. Productions : trente mille francs par mois. En revanche, si le restaurant fait des bénéfices, je touche des dividendes.

— Et il fait des bénéfices ?

— Oui, il y a des bénéfices. Le chiffre d'affaires a progressé de plus de 300 % par rapport à l'exercice précédent. J'ai d'ailleurs demandé que l'on verse une prime à ceux qui ne sont pas actionnaires. C'est la moindre des choses. Ils ont tous fait du bon boulot. Ça marche, c'est normal que chacun puisse en tirer les fruits.

— Quel est ton rôle exact dans ce restaurant ? Tu te contentes de faire jouer tes relations pour attirer des clients ? Tu participes aux choix des produits ? Tu gères les relations avec les fournisseurs ?

— Je fais tout cela à la fois, même si je ne peux évidemment pas m'y investir à 100 %. Je ne me lève pas à l'aube tous les matins, mais je suis l'arrivage des produits. Nous travaillons notamment avec un ami laotien qui tient un restaurant juste à côté du nôtre, le Koba. Grâce à lui, nous proposons chaque jour les meilleurs thons de Méditerranée. Avec Laurent Audiot, nous avons choisi de travailler en direct avec de petits producteurs pour les veaux de lait, les agneaux, les porcs, les poissons...

— La Fontaine Gaillon est-elle destinée à décrocher une étoile au Michelin ?

— Je ne cours pas après les étoiles. Avec mes vins non plus, je ne cours pas après les médailles d'or. Ce n'est pas mon but. Mon plaisir, c'est d'offrir des mets simples, d'une qualité irréprochable dans un endroit agréable. Ce n'est pas plus compliqué que ça...

— Une dernière question pour aujourd'hui, si tu veux bien : beaucoup de célébrités – acteurs, chanteurs... – prêtent leur notoriété à des causes humanitaires. Est-ce ton cas ?

— Oui, mais je n'aime pas en parler. J'ai toujours peur qu'on puisse penser que je fais cela pour mon image. Je le fais, mais en silence.

— Tu peux tout de même nous dire de quoi il s'agit ?

— Je soutiens le travail exceptionnel du Dr Richner au Cambodge. C'est un pédiatre qui est installé là-bas depuis les années 70. Il crée des hôpitaux uniquement réservés aux enfants où les soins sont entièrement gratuits. J'y vais de temps en temps avec Carole. Je lui donne un coup de main pour organiser des soirées de bienfaisance afin de récolter des fonds. J'ai mis récemment mon carnet d'adresses à sa disposition pour faire venir le plus grand nombre de donateurs possible à un concert organisé à Zurich. J'apporte ma contribution à la Fondation Erasme pour la recherche médicale qui finance les bourses de jeunes chercheurs. Par ailleurs, je participe financièrement à d'autres causes sociales ou humanitaires comme l'association que parraine Carole Bouquet, La Voix de l'enfance... Mais, encore une fois, je n'aime pas trop parler de ça. C'est le genre de choses que je préfère faire en silence. Sans ostentation.

6

LA RÉVOLUTION, QUELLE RÉVOLUTION ?

> « Je crois que tu es dans le vrai en trai-
> tant la politique comme l'art d'arriver
> par n'importe quels moyens à une fin
> dont on ne se vante pas. »
>
> Jules ROMAINS.

Paris, le 27 juin 2004, au domicile de Gérard Depardieu,
rue Leconte-de-Lisle. Il fait beau, Gérard a l'air en pleine
forme, malgré les nouveaux ennuis de santé de son fils qui le
préoccupent. Il vient de s'offrir une nouvelle moto flambant
neuve...

Laurent NEUMANN — C'est étonnant : tu t'intéresses
à tout, tu rencontres quantité de gens, tu voyages partout
à l'étranger, mais la politique ne semble pas te passion-
ner. Est-ce que tu votes tout de même ?

Gérard DEPARDIEU — Ecoute, au risque de te choquer ou de te décevoir : non, je ne vote pas. Je ne sais
même pas si j'ai une carte d'électeur. La dernière fois
que je suis entré dans un bureau de vote, c'était en 1981,
à Bougival, pour glisser un bulletin François Mitterrand

dans l'urne. Les affaires de la cité me passionnent, mais la politique en tant que telle, pas du tout. Certains hommes politiques me fascinent, ça oui. Mais les partis politiques, les idéologies, les luttes de pouvoir, les petites lâchetés pour conquérir les postes et les honneurs... Tout cela me laisse absolument indifférent. Pour moi, la politique, telle que je la vois avec mes modestes connaissances en la matière, c'est d'abord et avant tout la conquête du pouvoir. Les partis, les courants, l'argent des partis, les petites compromissions, les alliances de circonstance... Tout est tendu vers la conquête du pouvoir. L'exercice du pouvoir me fascine, pas sa conquête. C'est d'ailleurs ce qui fait de moi un être libre ! Je ne roule pour personne. Quitte à m'intéresser à la politique, je préfère me plonger dans la lecture de Shakespeare, de Peter Handke, d'Alexandre Dumas ou de Victor Hugo. Ça, c'est de la vraie politique, grande, noble, digne, mille fois plus passionnante que la recension quotidienne des bisbilles politiciennes telle qu'il m'arrivait de la lire, jadis, dans les journaux.

Je n'ai pas envie de me mêler de politique. Ce n'est pas parce que je suis un homme public que je dois nécessairement m'engager. Pour une cause qui me tient à cœur, oui. Pour une écurie politique, certainement pas. Ce n'est pas parce que je joue Danton que je crois à la Révolution. Moi, j'ai eu une éducation à la Jean-Jacques Rousseau. Le pragmatisme avant tout. La découverte par soi-même, sans préjugé ni formatage idéologique. L'expérimentation des dangers de la vie. Dans ma jeunesse, je te l'ai dit, mon expérimentation politique, c'était celle de la rue : la violence au quotidien, le racisme ordinaire, l'homophobie, l'incroyable décalage entre les réalités de la vie et les discours politiques — ce qu'aujourd'hui on appelle le fossé entre le peuple et les élites parisiennes... Voilà ce que fut ma formation politique. Les partis politiques tels qu'ils sont organisés ne répondent pas à ces questions. Ils les posent, mais ils n'y répondent pas. J'ai donc appris tout seul à y apporter mes propres réponses.

— Cela ne t'a pas empêché, le 23 décembre 1987, de t'offrir une page de publicité dans la presse quotidienne pour appeler à réélire François Mitterrand : « Mitterrand ou jamais »...

— C'est vrai. On a dit que c'est Jack Lang qui m'y avait poussé, parce que le chanteur Renaud en avait fait autant, quelques jours auparavant dans *Le Matin*, je crois. C'est faux. Je l'ai fait parce que j'en avais envie, un point c'est tout. J'ai d'ailleurs payé cette page de pub sur mes deniers personnels...

— Pourquoi, alors que tu sembles fuir la vie politique, donner ce coup de pouce à Mitterrand ?

— Je ne voudrais pas que tu te méprennes : je n'ai jamais dit que je ne m'engageais jamais. La chose politique, quand elle en vaut la peine, peut me concerner. Au moment de la guerre d'Algérie par exemple, je connaissais pas mal de gens qui étaient OAS. Je ne partageais pas nécessairement leurs convictions, les ratonnades m'étaient insupportables, mais en même temps je voyais, à leur retour, le traumatisme de ces appelés de dix-huit-vingt ans qui n'avaient pas demandé à participer à cette guerre. Je n'étais pas forcément engagé, mais je me posais beaucoup de questions... Quant à Mitterrand, c'est une autre histoire. Mitterrand, pour moi, c'était un peu comme un air de fête dans un pays assez triste. Dans ma courte vie, j'ai aimé deux hommes politiques qui, paradoxalement, se sont beaucoup affrontés : de Gaulle et Mitterrand. Même si j'étais encore jeune, je trouvais que le général de Gaulle était un personnage insensé, un homme d'exception, un monstre sacré. Je dirais presque : un héros romantique.

— Quel de Gaulle ? Celui de l'Algérie ?

— Non, encore qu'il ne s'en soit pas trop mal sorti. Non, le de Gaulle que j'aime, c'est plutôt celui de la Résistance. L'homme qui a su dire « non ». Celui qui a su réconcilier la France avec elle-même. Celui qui a eu le courage de se situer au-dessus des partis politiques, au-dessus de tous les intérêts financiers. J'ai aimé le de Gaulle de mai 1968, le de Gaulle de la fin, usé et indigné par les bassesses de la vie politique, le de Gaulle fatigué qui se retire du pouvoir, la tête haute et le sentiment du devoir accompli. Une sortie romanesque qui me fascine encore aujourd'hui, quand je vois avec quelle âpreté certains hommes politiques s'accrochent à leur fauteuil. C'était un homme d'Etat, un vrai, capable à lui seul d'incarner son pays. Dans son genre, j'aimais bien Georges Pompidou aussi, son physique, son courage face à la maladie et à l'adversité. Peut-être parce que je me sentais proche de ce bonhomme enraciné dans la terre. En revanche, autant te dire, je n'ai pas du tout aimé Giscard d'Estaing...

— De Mitterrand, tu as dit : « C'est un homme d'honneur, un seigneur, un empereur, un sage, un sphinx... Les autres ne me passionnaient pas, lui oui. »

— C'est sûr que, comparé à Giscard, Mitterrand ne boxait pas vraiment dans la même catégorie. Mitterrand avait sans doute ses défauts. A sa manière, c'était sans doute un grand despote. Mais il a su montrer aux Français que ce pays avait d'autres valeurs que l'accordéon !

— Les révélations du livre de Pierre Péan sur le passé trouble de François Mitterrand ont-elles atténué tes ardeurs ?

— Te dire que ça m'a laissé de marbre serait mentir. Mais quel homme politique n'a pas commis des erreurs ? Quel homme de pouvoir peut oser prétendre que le chemin fut toujours rectiligne ? Disons que, dans la période trouble de l'Occupation, j'ai préféré, et de loin, l'attitude d'un de Gaulle à celle d'un Mitterrand. Mais de là où je parle, c'est facile d'assener ce genre de vérités. Mitterrand m'a raconté comment il s'était, à plusieurs reprises, opposé à de Gaulle. Mais il avait pour lui sinon de l'admiration, du moins un vrai respect. Partagé, je crois. Les années passant, Mitterrand n'a jamais renié ses amitiés sulfureuses. Peut-on lui en faire reproche ? Je me garderais bien de répondre... L'aveuglement est certes un défaut, mais la fidélité est une vraie qualité. Qui se perd, hélas.

— De Gaulle, Mitterrand... Tu as oublié de me parler de Jacques Chirac

— Lui, je l'aime beaucoup. C'est moins le professionnel de la politique et du pouvoir que l'homme que j'apprécie en lui. Erudit, proche des gens, bon vivant... Certes, plus encore que chez de Gaulle et Mitterrand, on sent chez lui une ambition forcenée, un véritable appétit du pouvoir. Mais pour en arriver là où il est, il vaut mieux ne pas en être dépourvu, non ? (*Rires.*) Cela dit, lui au moins, contrairement à beaucoup d'autres, ne s'en cache pas. En fait, il y a un type d'hommes politiques que je ne supporte pas : ceux qui veulent absolument nous faire croire qu'ils sont d'une intégrité totale. A l'exception peut-être du général de Gaulle, je ne connais pas un seul homme politique qui puisse prétendre n'avoir jamais mordu la ligne jaune. Je veux bien être indulgent avec ceux qui commettent des erreurs, je veux bien absoudre ceux qui se trompent ou font preuve de lâcheté, mais les pères La Morale, eux, me font peur. Je m'en méfie comme de la peste. En politique, comme dans la vie en général. Mitterrand a commis des erreurs, il s'est fourvoyé, mais c'était un grand humaniste et, surtout, il n'a jamais prétendu qu'une auréole flottait au-dessus de sa tête. Et puis, la politique, c'est comme les romans : on ne fait pas de la bonne politique avec des bons sentiments.

— Mitterrand, comme de Gaulle et Chirac à leur manière, était un vrai personnage de roman comme tu les aimes...

— L'histoire de Mitterrand est inouïe : ses secrets intimes, sa double vie, sa fille morganatique... On m'a raconté une histoire concernant le général de Gaulle, mais je ne sais pas si elle est vraie. Lorsqu'il était à Londres, il a vécu, lui aussi, une belle histoire d'amour avec une jeune femme. Une histoire platonique ou pas, je n'en sais rien. Toujours est-il que, ne supportant plus cette confusion des sentiments, il a rompu avec la dame en lui disant ces mots extraordinaires : « Madame, nous nous aimerons dans l'éternité. » J'espère sincèrement que cette histoire est vraie, parce qu'elle est magnifique. Il faut dire que de Gaulle n'était pas avare de bons mots... Un soir, il était venu à la Comédie-Française pour saluer la troupe du Français qui jouait *Dom Juan*. A la fin du spectacle, la salle applaudit à tout rompre : « Bravo ! Bravo ! » Le rideau tombe, de Gaulle monte sur la scène où tous les comédiens sont encore en costumes. Georges Descrières se présente devant lui, un peu ému, et, d'un ton légèrement ampoulé, il lui dit : « Excusez-moi, mon général, je n'étais pas très bon ce soir. » Et là, de Gaulle lui fait cette réponse magique : « Vous m'en direz tant ! » (*Gérard éclate de rire.*) Tu imagines la tête de Descrières... Qui d'autre que de Gaulle pouvait avoir un tel sens de la repartie ? Ce sont des anecdotes qui ne s'inventent pas. Il faut être grand, grandiose même, pour répondre un truc pareil ! J'ai vu des dizaines d'heures de documentaires, d'images d'archives à l'INA : il n'y a pas un moment où cet homme n'est pas digne. Sa carrière tout entière est une leçon à tous les hommes politiques. Il avait le verbe, le panache, le sens de l'histoire, et il a su, sans doute mieux que tout autre, se servir de la radio et de la télévision. J'en connais certains qui feraient bien de s'en inspirer plus souvent.

— Selon toi, il n'a eu aucun héritier ?

— Si : Mitterrand et le Chirac d'aujourd'hui. Le Chirac qui était dans l'ambition du pouvoir était maladroit. Celui qui est dans l'exercice du pouvoir me plaît mieux. En matière de politique étrangère, le tandem qu'il formait avec Dominique de Villepin a fait des merveilles. Il faut avoir une vraie vision politique pour oser dire « non » à George Bush, « non » à l'hyperpuissance américaine, « non » à la guerre en Irak. La suite des événements leur a donné mille fois raison... J'aime beaucoup Villepin, son sens de la formule, le ton de ses discours, son côté poète érudit, son courage... Bref, je le trouve très séduisant. En fait, voilà : la politique ne m'intéresse pas, mais heureusement, parfois, la politique produit des types bien. Villepin est un type bien. En tout cas, spontanément, j'ai envie de lui faire confiance.

— Il paraît que tu tutoies Chirac, c'est vrai ?

— Oui, comme je tutoyais Mitterrand d'ailleurs. Et réciproquement. Je ne vouvoie que ceux que je ne comprends pas et ceux avec lesquels je veux prendre mes distances. Le vouvoiement, c'est idéal pour mettre les gens à distance. Il m'arrive d'ailleurs de tutoyer certaines personnes, puis de les vouvoyer pour les mettre à l'écart de ma vie. François Truffaut, lui, vouvoyait tout le monde, sauf moi. Je ne sais pas pourquoi d'ailleurs. C'est étrange quand on y pense... Moi, je l'ai toujours tutoyé également. C'était naturel. Avec le président de la République, j'entretiens une relation amicale, basée sur la franchise et la simplicité. Un jour, je me suis même permis de lui donner un conseil. Je lui ai dit : « Il faut savoir avouer ses propres faiblesses, avant d'attaquer ses ennemis. Admets tes propres faiblesses, reconnais tes erreurs, tu n'en seras que plus fort. »

— Et à Nicolas Sarkozy, quel conseil prodiguerais-tu ?

— Aucun ! Sarkozy est dans cette phase de la vie politique qui me déplaît le plus : la conquête du pouvoir. C'est peut-être quelqu'un de bien, même si je me méfie toujours de ceux qui veulent apparaître comme les premiers de la classe. Je crois qu'il fait son boulot le mieux possible mais, par principe, je ne traverserais pas le désert avec un homme politique qui cherche à conquérir le pouvoir. Encore une fois, les hommes politiques deviennent passionnants lorsqu'ils exercent le pouvoir. Lorsqu'ils cherchent à le conquérir, ils sont forcément dans leurs petits calculs politiques. Ça ne m'intéresse pas...

— A gauche, existe-t-il, depuis la mort de François Mitterrand, des dirigeants politiques qui trouvent grâce à tes yeux ?

— J'aime beaucoup Laurent Fabius. Non pas pour ses idées politiques, là encore, mais pour l'homme, cultivé, discret. Tout autre que lui aurait sombré après l'affaire du sang contaminé. Fabius, lui, m'a bluffé par la dignité dont il a su faire preuve dans l'adversité. Et puis, disons la vérité : cette affaire est tombée sur lui, mais elle aurait pu tout aussi bien tomber sur quelqu'un d'autre, à droite comme à gauche. J'appréciais beaucoup Jack Lang aussi, j'adorais nos parties de franche rigolade, mais Jack aime trop le pouvoir. Quand je le rencontre, j'ai l'impression de voir un acteur en représentation. On sent qu'il a du métier, comme on dit... Cela dit, je le préfère, et de loin, à un Lionel Jospin. Jospin, c'est le genre d'hommes avec lequel je n'imagine pas un instant devenir copain et partager une bonne bouteille de rouge. Son pli trotskiste, son côté professoral et donneur de leçons, la morale toujours en bandoulière, éloigné des préoccupations quotidiennes des gens... Tu as vu le résultat ? Même pas qualifié pour la finale ! Quand on a dit ça, pardon, mais on a tout dit ! Pour moi, Lionel Jospin, c'est comme Nicolas Sarkozy : ce n'est qu'un homme politique. Mais, qui sait, il se serait peut-être révélé dans l'exercice du pouvoir, va savoir...

— J'ai appris, tout à fait par hasard, que pendant de longues années, tu versais de l'argent au parti communiste. Est-ce toujours le cas ?

— Non. J'ai longtemps cotisé au PCF, c'est vrai, mais j'ai arrêté. Je le faisais, en quelque sorte, en mémoire de mon père. Je te l'ai déjà raconté : le Dédé était communiste. Il ne militait pas, mais il vendait tout de même *L'Humanité* à la criée dans les rues de Châteauroux. Comme il ne savait ni lire ni écrire, je ne suis pas sûr qu'il avait le regard critique nécessaire pour faire de la politique ou juger de la pertinence des idées du parti. Mais bon... Pour lui, le parti communiste incarnait un certain nombre de valeurs, une forme d'idéal tout à fait respectable et qu'il partageait volontiers : l'idée du partage, la redistribution des richesses, les valeurs de la Résistance aussi... Il faut se souvenir du contexte : on sortait à peine de la guerre, le PC recueillait plus de 20 % des voix aux élections, c'était le premier parti ouvrier de France. A l'époque, le PC, Duclos, Thorez, ça voulait dire quelque chose...

— En 1984, tu déclarais, dans une interview à *VSD* : « Il n'y a que ceux qui ne savent ni lire ni écrire qui peuvent encore être communistes aujourd'hui. » C'est un peu contradictoire avec le fait de continuer à verser de l'argent au PC, non ?

— Je t'ai dit pourquoi je versais de l'argent au parti communiste : je le faisais pour mon père. Mais entre l'idéal communiste de mon père et ce que l'on sait, aujourd'hui, des ravages engendrés par le communisme à travers le monde, il y a un abîme. Entre-temps, il y a eu Staline, Pol Pot, des millions de morts... Le communisme et le nazisme nous ont au moins enseigné une chose : il faut toujours se méfier des idéologies, quelles qu'elles soient. Moi, je préfère faire confiance aux hommes qu'aux idées. Aussi séduisantes soient-elles, les grandes idéologies politiques, comme les religions monothéistes d'ailleurs, sont criminogènes par nature. Quoi de plus beau que l'idée même du communisme ? Quoi de plus terrible à l'arrivée ?

— Cela ne t'interdit pas, pour autant, de fréquenter les hommes politiques, les chefs d'Etat...

— Tu penses à Fidel Castro ? C'est vrai, je n'aurais sans doute pas fréquenté le Fidel Castro des années 60. Mais pour te dire toute la vérité, je n'aurais sans doute pas fréquenté non plus la famille Kennedy. L'image d'Epinal qu'on nous en propose aujourd'hui n'a que peu de rapports avec la réalité. A l'époque de la Baie des Cochons, la famille Kennedy frayait avec l'Amérique mafieuse. On a été formidablement indulgent avec la saga des Kennedy et avec cette Amérique-là. Comme on a été, récemment, incroyablement bienveillant avec Ronald Reagan à l'occasion de ses funérailles. On a même tenté de nous faire croire que c'était grâce à lui qu'on a mis enfin un terme à la guerre froide. Ou j'ai totalement perdu la mémoire, ou l'on n'a pas vécu la même époque... Cela dit, quand j'entends en France un certain nombre de dirigeants politiques de gauche nous raconter Mai 68 comme une formidable épopée romantique, leur « révolution » à eux comme ils disent, je rigole doucement...

— Pourquoi ?

— Pourquoi ? Parce que Mai 68 n'avait rien d'une révolution ! La révolution, c'est lorsque les pauvres se révoltent contre les riches parce qu'ils n'ont plus rien à bouffer. Où tu as vu une révolution, toi, en 1968 ? Comme je te l'ai dit, les événements de mai 1968, pour moi, c'était une révolution de petits-bourgeois ! Ceux que je voyais dans les rues du Quartier latin monter sur les barricades ou lancer des cocktails Molotov, c'étaient des fils et des filles de bourgeois, des gens qui n'avaient jamais manqué de rien. Des gens instruits, qui plus est. Ils jouaient à la révolution, rien de plus. A les entendre aujourd'hui raconter leur « révolution », on dirait qu'ils avaient pris le maquis et qu'ils étaient entrés en résistance contre l'oppresseur. Il ne faut tout de même pas pousser ! Moi, pendant que ces jeunes gens se mesuraient aux forces de police en criant « CRS SS ! », je chapardais des montres dans le quartier de l'Odéon. Un jour, je me suis même fait prendre dans une rafle de flics, rue de l'Ecole polytechnique, au café Le Polytech. La fameuse histoire du képi que j'avais écrasé par terre... Très vite, j'en ai eu marre de tout ça et je suis parti sur la Côte d'Azur, loin de toute cette agitation théâtrale.

— On en a déjà un peu parlé ensemble : l'année dernière, en septembre 2003, une délégation d'intermittents du spectacle a occupé pendant quelques jours ton hôtel particulier de la rue du Cherche-Midi. Comment cette histoire s'est-elle finalement terminée ?

— Je tournais *San Antonio* à l'époque. J'ai d'abord reçu les intermittents du spectacle pour les écouter, comprendre leurs revendications et savoir ce qu'ils venaient faire précisément chez moi. Je leur ai gentiment expliqué qu'il y avait peut-être d'autres endroits plus symboliques à occuper, les chaînes de télévision et les sociétés de production privées, par exemple, qui usent et abusent du statut des intermittents. Le dialogue a été courtois. J'ai prévenu Christophe Girard à la Mairie de Paris qui m'a expliqué, entre autres, que j'avais quarante-huit heures pour prévenir la police avant de me mettre dans mon propre tort. Au-delà de ce délai, je pouvais être tenu pour responsable au cas où un accident surviendrait à l'intérieur de la maison. Si j'ai bien compris, la coordination des intermittents ne soutenait pas vraiment cette action... Moi, j'étais prêt à leur laisser les lieux jusqu'en décembre, mais je ne voulais en aucun cas que le Noël des intermittents se déroule chez moi. D'autant que, visiblement, certains éléments perturbateurs étaient parvenus à infiltrer le groupe. Bref, ce n'était pas raisonnable qu'ils restent là. On a longuement discuté et, au terme des quarante-huit heures légales, la police a fait évacuer les lieux dans le calme, sans heurts. Mais au-delà de cette anecdote, je soutiens évidemment leur mouvement et leur combat. Je l'ai dit à Jean-Jacques Aillagon lorsqu'il était ministre de la Culture : je crois que le gouvernement n'a pas pris la pleine mesure du mouvement des intermittents. Ils ont commencé à comprendre lorsque les festivals ont été annulés les uns après les autres. Mais, au fond, ils n'ont pas compris les enjeux ou, plus exactement, ils n'ont pas voulu comprendre. Les vrais responsables des dérives du régime d'assurance-chômage des intermittents du spectacle, ce sont – je le répète – les chaînes de télévision et les producteurs privés. Ce sont eux qui consomment des intermittents à tour de bras pour leurs *talk shows* et leurs émissions de divertissement. C'est bien d'aller investir le toit du MEDEF, mais ils feraient mieux d'aller occuper les locaux de leurs patrons. Cela dit, je comprends que ce soit difficile pour eux. Il y a des centaines et des centaines de vrais intermittents qui vivent de la télévision... Lorsque j'ai rencontré Christophe Girard à l'Hôtel de Ville et Jean-Jacques Aillagon au ministère, je leur ai dit à tous les deux : « Quand on fait un peu de politique, on ne peut pas rester insensible devant le discours de ces intermittents. » Moi, comparé à eux, je suis un privilégié.

Je ne sais pas si j'ai la légitimité suffisante pour évoquer ce sujet-là. Eux-mêmes considéreront peut-être que je me mêle de ce qui ne me regarde pas. Mais je ne comprends pas que le gouvernement n'ait pas encore renoncé à son projet et pris la peine de considérer leurs revendications. En tout cas, ce que j'entends, ce ne sont pas des revendications de riches ! Pour ce que j'en sais d'ailleurs, le problème n'est absolument pas réglé. Je crois que le ministère de tutelle ne se rend pas compte de l'ampleur des dégâts que va provoquer cette réforme. Ni d'ailleurs de ce qui lui pend au nez s'il refuse de négocier et d'entendre l'exaspération de toute une profession.

— Eh bien dis donc, pour quelqu'un qui n'aime pas s'engager...

— Je vais même te dire mieux : je crois que ce sont les producteurs privés d'émissions qu'il faudrait taxer au portefeuille, ceux qui abusent vraiment du système ! C'est à cause d'eux que le système est déficitaire. Qu'ils paient ! Comme pour l'environnement : tu pollues, tu paies ! Ça a l'air de t'étonner que je dise ce que je pense. Mais je te rappelle qu'au moment des accords du GATT, je suis déjà monté en première ligne pour défendre l'exception culturelle française. Au départ, je l'avais fait par amitié pour Daniel Toscan du Plantier, sans vraiment comprendre tous les enjeux de cette bataille. Mais j'avais l'intuition qu'il était urgent de se mobiliser. D'ailleurs, je n'ai pas fait grand-chose : je me suis contenté de tirer la sonnette d'alarme. Mais je crois qu'il était important de le faire. Je n'ai pas fait cela pour tirer dans le dos des Américains. Mais il était crucial de faire comprendre au monde entier que chaque pays a sa culture propre et que chacune de ces cultures mérite d'être défendue et sauvegardée. La culture américaine n'a aucun mal à se propager dans le monde entier. Il est normal et même vital que toutes les autres cultures, française et européenne notamment, mais pas seulement, puissent irriguer tous les pays du monde. Ça, pour moi, c'est de la vraie politique. C'est de la politique utile, compréhensible pour tout le monde. Je t'ai déjà dit à quel point j'aimais la culture américaine, sa musique, sa littérature, son cinéma. Mais je ne veux pas que, demain, la Culture avec un grand « C » se résume à cette seule culture américaine.

— Au-delà du problème des intermittents et du combat en faveur de l'exception culturelle française, existe-t-il d'autres débats à caractère politique dans lesquels tu aurais aimé intervenir ?

— Non. Enfin, peut-être. La plupart du temps, si je m'abstiens d'intervenir, c'est par lâcheté. J'assume cette lâcheté. Je la revendique, même. Je n'ai pas vocation à devenir un professionnel de l'engagement politique. D'ailleurs, je n'ai même pas à m'en justifier. De toute façon, je suis trop émotif pour m'engager politiquement.

— A qui penses-tu lorsque tu parles de « professionnel de l'engagement politique » ?

— A personne en particulier. Chacun fait comme il peut et comme il le sent. Moi, je ne me sens pas de l'ouvrir à tout bout de champ pour donner mon avis. Je le fais lorsque je crois que c'est utile et important. J'admire les fidélités politiques de Pierre Arditi, par exemple. Au moins, quand il s'exprime, il sait de quoi il parle. Il est légitime, il suit la vie politique, il croit à un certain nombre de valeurs... Très bien. Lorsque Emmanuelle Béart prend la tête du mouvement des « sans-papiers », parfait. Elle a la légitimité d'épouser cette cause. Lorsque Whoopi Goldberg manifeste aux Etats-Unis, avec beaucoup d'autres acteurs, pour le droit à l'avortement ou contre la guerre en Irak, j'applaudis des deux mains. Heureusement que des gens célèbres mettent leur renommée au service de causes qui le méritent. En revanche, je suis plus circonspect lorsque certaines icônes médiatiques viennent à la télévision pour nous expliquer ce qu'il faut penser de la crise économique, de la faim dans le monde et du génocide au Rwanda. Là, je m'interroge. Souviens-toi d'Yves Montand (*Gérard imite la voix de Montand*) : « Alors, maintenant, je vais vous expliquer la crise économique, le prix du pétrole... » C'est ridicule ! L'important, c'est de savoir qui l'on est et d'où l'on parle. Et surtout de ne pas se fourvoyer. Il vaut mieux se taire plutôt que de dire des conneries... Tiens, je me souviens d'une anecdote que m'avait racontée Montand, justement, à propos d'Edith Piaf. Montand et Piaf avaient visité, ensemble, un camp de concentration, Auschwitz je crois. Edith Piaf, elle, était très croyante, limite mystique obscurantiste. Eh bien devant le camp, Piaf a dit à Montand cette chose inouïe, abominable, à propos des millions de Juifs morts dans les camps : « Ils ont dû faire quelque chose dans une vie antérieure qui avait déçu Dieu. » Quand tu en es à ce degré-là d'ignorance, il vaut mieux se taire, non ? Le seul fait d'être un artiste ne fait pas de toi quelqu'un d'assermenté pour commenter l'histoire ou l'actualité de ce monde. Moi, par exemple, je suis effrayé par tous les replis communautaires, par l'antisémitisme que je sens monter en France, par ces croix gammées taguées sur des tombes juives et musulmanes, par les images de violence que je vois chaque jour à la télévision, en France et ailleurs... Le seul fait d'être un acteur connu ne me donne pas pour autant la légitimité pour venir en parler devant des millions de téléspectateurs. Et puis, venir à la télévision pour expliquer que le racisme et l'antisémitisme incarnent la défaite de la pensée et représentent un immense danger ne requiert pas un courage hors du commun.

— Tu as employé l'expression « défaite de la pensée »... Que veux-tu dire par là ?

— Je ne sais pas si mon avis a un quelconque intérêt en la matière, mais je constate en effet qu'il n'y a plus de grands penseurs, de vrais polémistes. Je pense à Sartre, à Camus, à Deleuze et à ses cours extraordinaires sur Spinoza ou à son « Abécédaire ». Je ne sais pas si on les a remplacés aujourd'hui. Je suis très étonné des mauvais procès que l'on fait à Bernard-Henri Lévy. Quand tu y réfléchis un peu, il est l'un des rares intellectuels à faire encore preuve de courage. On peut lui reprocher sa fortune, ses chemises blanches et son appétence pour les plateaux de télévision, il n'empêche qu'il va sur le terrain, lui. En Bosnie, au Pakistan... Dans l'ensemble, je trouve que, depuis une vingtaine d'années, on manque d'intellectuels capables d'analyser les affaires du monde, de montrer le chemin. Et lorsqu'ils s'expriment, ils se trompent souvent, sur la guerre en Irak par exemple. L'ennui, c'est qu'ils font rarement leur *mea culpa*.

— Venant de toi, c'est contradictoire. Toi qui te méfies des idéologies, des systèmes de pensée, tu regrettes l'absence de gens capables de « montrer le chemin »...

— C'est une manière de parler. En tout cas, à choisir, je préfère un BHL qui va essayer de comprendre sur place, au Pakistan, la réalité de l'intégrisme islamiste à un Michel Houellebecq qui veut nous convaincre des bienfaits du tourisme sexuel en Thaïlande. L'ennui, c'est que, des deux, c'est Houellebecq qu'on nous présente comme le nouveau phare de la pensée moderne. A choisir, encore une fois, je préfère *Qui a tué Daniel Pearl ?* à *Plateforme*.

7

MES CONFESSIONS

> « Dieu ne nous remplit qu'autant que nous sommes vides. »
>
> Henry de MONTHERLANT.

Paris, le 27 juin 2004, au domicile de Gérard Depardieu, rue Leconte-de-Lisle (suite).

Laurent NEUMANN — On a parlé de politique, mais pas encore de religion. Es-tu croyant ?

Gérard DEPARDIEU — Je crois aux hommes. Je crois à la vie, et notamment à celle qui a précédé Dieu. Et, bien sûr, je crois en Dieu. Déjà, avec un patronyme comme le mien... Enfin... Je dis que je crois. En fait, je crois que je crois. Je respecte toutes les formes de religion, monothéistes et polythéistes. De ce point de vue, je suis parfaitement œcuménique. J'aime les religions, j'aime l'orthodoxie pour sa théâtralité, j'aime les chants grégoriens... Mais le plus beau de tout, c'est la foi. Hélas, elle n'est pas donnée à tout le monde. En revanche, je rejette tous les extrémismes religieux, juif aussi bien que musulman. Les fondamentalismes sont la nouvelle plaie de nos sociétés modernes. Peu importe, au fond, le Dieu auquel on croit : Dieu est nécessairement Amour. Ceux qui tuent, fût-ce en son nom, se détournent de Dieu. Malheureusement, je te le répète : je crois que les grandes religions monothéistes sont criminogènes par nature. La faute en est aux prétendus exégètes qui veulent absolument faire dire à la Bible, aux Evangiles, au Coran ou à la Torah ce qu'ils ne disent pas. En réalité, le vrai danger que nous font courir les religions, c'est l'homme. L'homme qui, dans son arrogance et son ignorance, se met à la place de Dieu. L'homme qui, dans son infinie prétention, se croit autorisé à interpréter les textes sacrés. Regarde le Coran : c'est sans doute le plus beau texte jamais écrit dans toute l'histoire de l'humanité. Or, que ne fait-on pas au nom du Coran et au nom d'Allah ? Jamais l'intégrisme islamiste n'a été aussi virulent. Jamais, depuis l'Inquisition, on n'a tué autant de pauvres gens au nom de Dieu... En réalité, l'islamisme intégriste me fait penser au catholicisme d'il y a six siècles. Sauf que les fondamentalistes d'aujourd'hui disposent d'armes bien plus meurtrières et qu'ils instrumentalisent la pauvreté pour justifier l'injustifiable. Je ne sais pas si l'on peut faire une telle comparaison, mais je crains que l'intégrisme religieux ne soit, après le fascisme et le communisme, la troisième grande idéologie totalitaire de l'ère moderne.

— Tu crois en Dieu mais, à ma connaissance, tu n'as reçu aucune éducation religieuse...

— Je n'ai pas été baptisé, je n'ai jamais fait ma communion solennelle, mais je suis allé au catéchisme. Quand j'étais jeune, je me promenais souvent avec un livre d'un auteur inconnu qui s'intitulait *Le Récit d'un pèlerin russe*. De mémoire, il racontait le chemin de l'amour de la vie. Les enseignements de ce livre ne m'ont jamais quitté. Quelle meilleure éducation religieuse que de chercher et de trouver « le chemin de la vie » ? Je crois en Dieu, c'est une quasi-certitude. En tout cas, je ne suis pas athée. Je crois en l'homme. Je crois qu'on peut changer les gens. Mais, par-dessus tout, je crois en Dieu à travers la vie. Comme saint Augustin.

— Avant d'évoquer saint Augustin, dis-moi d'abord si tu es pratiquant.

— Non, je ne suis pas pratiquant. Je ne vais pas à la messe, je ne me confesse pas... Moi, je pratique la vie ! Voilà, c'est ça : s'il y avait une morale Depardieu, ce serait celle-là : la morale de la vie. Vivre ! Avant toute autre chose, vivre ! Continuer à aimer la vie malgré tout, malgré les injustices, malgré les malheurs. Vivre, malgré tout. C'est, en soi, une forme de conversion, non ? En fait, je me suis fait virer de l'Eglise quand j'étais gosse. Depuis ce temps-là, je ne supporte plus ni les ors, ni les ordres religieux. En revanche, je te le répète, j'aime toutes les religions. Je vais même te faire un aveu : quand je suis arrivé à Paris, en 1965, j'ai été musulman pendant près de deux ans.

— Comment ça, musulman ?

— Oui, oui, musulman. Je fréquentais la mosquée de Paris, rue Geoffroy-Saint-Hilaire. Je faisais mes prières cinq fois par jour, mes ablutions quotidiennes au hammam, je lisais le Coran... En fait, je crois que cette idée s'est imposée à moi après un concert d'Oum Kalsoum (*1904-1975*), « l'astre de l'Orient ». Une référence incontournable en Egypte et dans tout le monde arabe. Après avoir entendu sa voix unique, je me suis retrouvé dans une sorte de communion artistique avec elle. Le public était ému aux larmes. Elle chantait la religion, l'amour, la paix. Oum Kalsoum était née dans une famille modeste de paysans. Son père était l'imam de son village. C'est lui, m'avait-on expliqué, qui lui avait enseigné la récitation et la lecture des textes coraniques. Et c'est en psalmodiant ces textes qu'elle s'était découvert un talent pour le chant et la musique. A partir de là, elle avait démarré une carrière exceptionnelle, au point de devenir l'amie de Nasser. Pour les Egyptiens, elle était « la cantatrice du peuple »... Quand je suis sorti de ce concert, à Issy-les-Moulineaux dans les Hauts-de-Seine, j'étais transporté, bouleversé, ému aux larmes moi aussi... J'avais dû éprouver ce que les Arabes appellent le *tarab*, le paroxysme de l'émotion et de l'amour. Il n'y a pas besoin de culture ou d'éducation religieuse pour ressentir ça. Il suffit de se laisser toucher par sa grâce... Ce soir-là, j'accompagnais des amis musulmans qui la connaissaient. Il y avait notamment ce professeur de français, cet Algérien dont je t'ai déjà parlé, M. Souami. Ils m'ont fait cet immense cadeau de me la présenter. Et voilà comment je suis devenu musulman pendant quelques mois...

— Je ne savais pas que tu étais mystique à ce point...
— Parce que je n'en parle jamais et qu'à première vue ma vie n'est pas un modèle de vertu. Mais j'ai toujours été dans une forme de recherche personnelle. Il faut bien que Dieu existe, qu'il y ait quelque chose à nous supérieur ! Quelque chose ou quelqu'un pour exorciser toutes les peurs que l'on porte en soi. Pendant quelques mois, j'ai cherché du côté de l'islam. Je n'allais pas à la Mosquée par pure conviction religieuse. Mais les prières rythmaient ma journée. La Mosquée, c'était un peu mon lycée à moi. A la même époque, mon ami Michel Mouilleron chez qui j'habitais m'a fait lire la Bible. J'ai beaucoup appris dans l'Ancien Testament. J'ai aussi beaucoup pratiqué le yoga, pas au point cependant de devenir bouddhiste... Toute ma vie a été ainsi scandée par cette quête spirituelle et par la découverte de l'autre. L'autre – celui qui est différent – m'intéresse. Sa culture, sa religion, ses rites... Tout, chez lui, me passionne. Je

me suis plongé, par exemple, dans les écrits de Shri Aurobindo, ce brillant diplômé de la prestigieuse université anglaise de Cambridge, promis à la plus haute carrière dans l'administration anglaise de l'Inde et qui devint une sorte de Dieu vivant pour les hindous. Il se trouve que cet érudit encyclopédique, père du combat pour l'indépendance de l'Inde, refusa la direction du pays pour tenter l'aventure du mysticisme, et je dois dire que ses ouvrages m'ont passionné... Dans un tout autre genre, je me suis intéressé à l'œuvre de Georges Ivanovitch Gurdjieff, occultiste et philosophe français d'origine russe (*1872-1949*). Sans oublier, bien sûr, les grands auteurs russes : Dostoïevski, dont l'œuvre tout entière est traversée par la spiritualité, Pouchkine, Tolstoï... Dans les années 70, je fréquentais souvent l'église orthodoxe de la rue Daru, dans le 8e arrondissement de Paris. Je me sentais l'âme russe, je mangeais russe, je buvais russe... En fait, je crois que j'ai toujours eu une attirance particulière pour les questions religieuses. D'une certaine manière, j'ai testé toutes les grandes religions monothéistes. Même la religion juive. Barbara me disait : « Tu es le plus juif des goys. »

— Que voulait-elle dire par là ?
— Je discutais de tout, je voulais des réponses sur tout, j'avais une sorte de volonté forcenée de vivre, de tout connaître, de découvrir... L'appétit d'apprendre. Elle trouvait que c'était très juif comme attitude.

— Ton personnage de l'abbé Donissan dans le film de Maurice Pialat *Sous le soleil de Satan*, d'après Georges Bernanos, a-t-il joué un rôle particulier dans cette quête spirituelle ?
— Oui, forcément. C'est vrai qu'on ne lit pas Bernanos comme n'importe quel autre auteur, et l'on ne sort pas complètement indemne d'un tel rôle. L'abbé Donis-

san se prend pour le curé d'Ars. Il a envie de comprendre les vrais ressorts de la foi, sans avoir les connaissances nécessaires pour y parvenir. Qu'est-ce que le Bien ? Sacré questionnement ! L'ennui, c'est qu'il est un peu limité intellectuellement pour esquisser une réponse satisfaisante. Il oscille entre le saint et le fou. Ce qui obsédait Maurice Pialat, pendant le tournage, c'était de réussir à montrer où finit la sainteté et où commence la folie. On voit bien, dans le film comme dans le livre, l'importance du péché dans le catholicisme. Cette idée de la faute originelle qui, poussée à son paroxysme dans le cas de l'abbé Donissan, devient carrément terrifiante. C'est ce qui m'agace le plus chez les catholiques. « Seigneur, j'ai beaucoup péché... » Chez les juifs au moins, il y a cette idée du Grand Pardon. Une fois l'an, le jour du Grand Pardon, toutes tes fautes sont absoutes. D'une certaine manière, c'est rassurant. Les catholiques, eux, vivent en permanence avec cette mauvaise conscience, celle du péché.

— Pialat, lui, était athée, n'est-ce pas ?

— Un athéisme revendiqué haut et fort. Le tournage du film se déroulait dans une sorte de château en ruine qui appartenait à une famille de catholiques très pratiquants. Moi, je passais mes journées entières habillé en soutane avec ma tonsure sur la tête, et Maurice, lui, prenait un malin plaisir à provoquer ces braves gens, un peu coincés il est vrai. « Dites-moi chère Madame, vous qui êtes pratiquante, à votre avis, est-ce que Jésus déféquait ? » La dame, choquée par l'impertinence de la question et le blasphème de Maurice, cherche ses mots pour lui répondre : « Mais... Mais... Mais enfin, Monsieur, comment pouvez-vous imaginer une chose pareille ? » Pialat, évidemment, était aux anges et il en rajoutait une couche dans la provocation : « Ah bon ? Pendant trente-trois ans, il n'a jamais déféqué ? Vous croyez, vraiment ? » (*Rires*.) Tu aurais vu la tête de la propriétaire ! Au-delà de son athéisme bien réel, Pialat détestait ce qu'il appelait « le supermarché de la religion », les marchands du temple, l'hypocrisie des croyants, le côté un peu cul serré des catholiques pratiquants...

— Tu as évoqué à plusieurs reprises saint Augustin. Depuis le début de nos entretiens, tu ne quittes jamais son livre, *Les Confessions*. En février dernier, tu as fait une lecture de certains extraits à Notre-Dame de Paris, puis dans un temple et dans le théâtre de Marc Aurèle à Athènes. Je sais que tu rêves de renouveler l'expérience dans une synagogue et dans une mosquée. Comment est née cette passion pour saint Augustin ?

— En l'an 2000, à Rome, j'ai rencontré le pape Jean-Paul II, lors de son jubilé, en compagnie du cardinal Poupard, le ministre de la Culture du Vatican. J'avais été frappé au cœur par la modernité des *Confessions* et la puissance du raisonnement de saint Augustin. Pour moi, ses textes confinaient à la poésie pure. C'était magnifique. J'avais même évoqué l'idée d'en faire un film. Et puis, lors d'un colloque à Alger sur saint Augustin, le président Bouteflika m'a fait rencontrer André Mandouze, grand universitaire, spécialiste mondialement reconnu de saint Augustin. Voilà comment est née l'idée d'aller lire *Les Confessions* dans des lieux sacrés, pour un public pas forcément pratiquant.

— Qu'est-ce que cette rencontre avec saint Augustin a changé dans ton rapport personnel à la religion ?

— En réalité, beaucoup de choses. Non pas, d'ailleurs, dans mon rapport à la religion, mais plutôt dans mon approche de la vie. N'oublie pas qu'avant de se convertir à la religion catholique, saint Augustin a eu une vraie vie d'homme, qu'il a aimé une femme dont il a même eu un enfant. Pendant plus de trente ans, il a refusé de se faire baptiser et de se reconnaître dans le catholicisme. Et ce, alors même que sa propre mère, Monique, était une catholique très pratiquante – aujourd'hui, on dirait intégriste. Il faut dire qu'elle buvait beaucoup et qu'elle était un peu folle. N'oublie pas non plus qu'il était algérien, que bien qu'issu d'une famille modeste, il avait fait des études, que c'était un grand érudit, qu'il avait beaucoup voyagé... Bref, il a mis de longues années à écrire ses *Confessions*, vers 397-401, et à trouver le chemin...

— Et, finalement, à se convertir...
— Au-delà de sa propre conversion, c'est sa quête qui est belle, les mots qu'il utilise pour l'expliquer. Honnêtement, j'aime moins le saint Augustin qui raconte la concupiscence de la chair. Ce saint Augustin-là me file un peu la frousse. En fait, il commence à m'intéresser dans le premier et le deuxième livres des *Confessions* lorsqu'il se met en colère contre Dieu. Dans l'écriture, il atteint alors des sommets. Sa musique des mots est sublime.

— Au fond, pourquoi te sens-tu si proche de lui ?
— Ce qui nous rassemble, c'est l'amour de la vie, l'esprit d'ouverture, la volonté forcenée de découvrir l'inconnu... Avant, pendant et après sa conversion, il est vivant ! C'est ça qui me plaît chez saint Augustin. Bien sûr, je suis conscient qu'il y a chez lui un certain nombre de choses qui pourraient nourrir l'intégrisme. Mais il ne faut pas chercher à interpréter ses écrits, il faut se contenter de ressentir l'émotion qui s'en dégage. La mort de son fils, par exemple, a été quelque chose de tragique pour lui. De même que sa séparation, exigée par sa mère, avec sa femme qu'il aimait profondément. Depuis deux ans, ce livre ne me quitte pas. Au fond, je crois qu'il aide à répondre à cette question fondamen-

tale : comment faire pour devenir meilleur ? Avec saint Augustin, on est à des années-lumière au-dessus de la liturgie actuelle de l'Eglise. Les sempiternels sermons sur le péché endorment les fidèles alors qu'il faudrait sans doute les réveiller pour les élever plus haut. C'est pour cela que j'ai choisi de lire *Les Confessions* dans une église, dans un temple et dans des lieux sacrés. Je rêve d'aller les lire au mur des Lamentations à Jérusalem. Tout reste à faire... A Notre-Dame de Paris, la plupart des gens qui étaient là n'étaient pas catholiques. En tout cas, pas des catholiques pratiquants. C'est cela qui était beau. Avant d'interpréter le sens de sa pensée, ils écoutaient la musique des mots, l'harmonie des phrases, notamment dans le passage sur l'extase de l'eucharistie au moment où sa mère va mourir : « A la fin, on n'entendait plus que le bruissement de nos bouches. » Mais comprends-moi bien : je peux trouver tout cela très beau et, pour autant, ne pas donner raison à saint Augustin sur tout ce qu'il écrit. Quand je lis « La conversion », cela ne signifie pas que j'acquiesce. Je ne dis pas « amen » à ce qu'il pense. Cela ne signifie pas non plus que je souhaite, moi-même, me convertir. Je ne suis que le porte-voix de saint Augustin. Par exemple, j'aime l'idée de sacrifice, mais je ne supporte pas l'idée de tuer, fût-ce pour Dieu. Je ne crois pas à la résurrection, mais en revanche, je crois en une vie future, comme dans la religion hindoue. J'aime cette idée que les morts aient le sourire à l'idée de ce qui va leur arriver, après, dans l'Au-delà. En lisant saint Augustin, je ne défends pas la foi, je ne pratique pas le jusqu'au-boutisme religieux. Je donne seulement à entendre. Je partage un moment d'émotion avec les auditeurs, rien de plus. Je suis le passeur d'un certain nombre de questions fondamentales auxquelles je me garderais bien de donner des réponses : Est-ce que je crois ? Qu'est-ce que croire ? Dieu existe-t-il ?... Moi, j'ai foi en la vie, ce qui n'est déjà pas si mal. C'est ma manière à moi de m'élever. C'est aussi une façon de ne jamais perdre l'espérance.

— Si je comprends bien, tu veux bien croire, mais tu te méfies tout de même de la religion.

— Non, je me méfie avant tout du commerce de la religion, je me méfie des passions de la religion, des dérives mortifères qu'elle peut engendrer. La religion en tant que telle ne m'effraie pas, c'est ce que les hommes en font qui me terrifie. Ce que j'aime dans la religion, c'est la force de l'amour qu'elle professe.

— Aujourd'hui, lorsque tu traverses des événements douloureux, la foi est-elle d'un quelconque secours ?

— Oui, la foi calme, elle atténue les passions, elle aide à développer les facultés d'écoute, elle permet de poser les questions importantes avec plus de sérénité... La fréquentation quotidienne de saint Augustin m'a sans aucun doute apaisé. Elle a probablement aussi pacifié mes ardeurs intérieures. Mais je sais que le chemin est encore long... Je crois d'ailleurs que, sans toutes mes années de psychanalyse, je ne serais sans doute pas arrivé jusqu'à saint Augustin. A travers l'existence de Dieu, c'est la question essentielle de l'existence de soi qui est posée. Et, au fond, cette question, tous les grands psychanalystes l'ont posée, de Freud à Jung.

— Est-ce qu'il t'arrive parfois, sur un tournage de film ou sur une scène de théâtre, de te sentir habité par quelque chose qui te dépasse ?

— Au théâtre, oui, assurément. Quelque chose de presque surnaturel qui te transcende. Mais, en général, je ne fais pas attention à ces moments-là. Par définition, ces moments de grâce que procure le jeu d'acteur t'échappent totalement. Tu ne peux pas les maîtriser. C'est comme une force intérieure que tu serais incapable d'endiguer. Elle déborde. Tu ne peux pas convoquer ces moments-là sur commande. Mais lorsqu'ils surviennent tu ne peux rien faire pour les arrêter. C'est plus fort que toi. Je te rassure, je ne suis pas devenu dingo. Quand je dis ça, je ne pense évidemment pas à une quelconque manifestation divine. C'est purement et simplement une question d'harmonie parfaite, comme en musique. La note juste. C'est aussi une question d'état d'esprit. Un peu comme lorsque tu prends un bilboquet et que tu te dis : « Ce coup-là, je vais le réussir. » Et dans l'instant suivant, hop, tu as réussi... C'est plus qu'un simple état d'esprit, c'est justement ce qu'on appelle l'état de grâce. Parfois, c'est éphémère, ça ne dure que quelques instants, une minute peut-être. Une toute petite minute d'éternité. Le temps est alors comme suspendu. Mais je suppose que le peintre ou le musicien, comme l'acteur, doivent eux aussi ressentir cette émotion. A cette différence près, toutefois, que le peintre ne doit pas s'en rendre compte au moment où il peint mais seulement quand l'œuvre est achevée.

— Tu te souviens de quelques-uns de ces petits moments d'éternité ?

— Oui, bien sûr. On en a déjà évoqué au cours de nos conversations. La plupart du temps, c'est au théâtre. Mais ces moments magiques peuvent parfois survenir au cinéma. Je me souviens, par exemple, du long monologue de Danton à la fin du film d'Andrzej Wajda. On n'a fait qu'une seule prise. J'étais comme habité par le personnage, j'avais pleinement conscience de ce qui se passait, mais je n'ai rien pu contrôler. Tout est venu comme ça, sans effort. C'était comme si Danton parlait par ma voix. J'étais presque dans un demi-sommeil, envahi par une douce torpeur... Je ne me suis réveillé que lorsque Wajda a dit « Coupez ! » Après coup, je me suis dit que Mohammed Ali avait sans doute dû ressentir la même émotion lors de ce fameux combat de boxe où il devint champion du monde. Quand il dit : « Je suis une abeille, je pique, je pique, je pique... » C'est une forme d'état de grâce et, en même temps, un formidable sentiment de liberté. Dans un moment pareil, rien ne peut t'atteindre. C'est pour ces moments-là que je veux continuer à jouer. En un mot, continuer à vivre.

ET LE GÉRARD ÉTAIT TOUJOURS VIVANT...

Laurent NEUMANN — Avant de clore nos entretiens, je voudrais qu'on dise encore un mot de ta vie privée...

Gérard DEPARDIEU — Ecoute, ça fait trois mois qu'on ne se quitte plus, tous les deux. En trois mois, tu as pu approcher ma vie privée de près. Comme tu as pu en juger, je n'ai pas grand-chose à cacher. J'ai l'intention de continuer à vivre, ici, dans cette maison où je me sens bien. J'ai mon jardin, ma salle de sport, je suis à cinq minutes de chez Carole (*Bouquet*). Mes cartons sont remplis de livres que je n'ai pas encore lus. Hier, je me suis offert une nouvelle moto... Je ne me suis jamais senti aussi libre.

— Libre, pas tout à fait. Quand ton divorce sera-t-il prononcé ?

— Je te l'ai dit, c'est une question de semaines. Si on ne parvient pas à un accord, eh bien tant pis, nous irons en justice, qu'est-ce que tu veux que je te dise ? J'espère sincèrement qu'on n'en arrivera pas là. Pour le reste, tout va bien. En décembre prochain, j'aurai cinquante-six ans. Je prends quelques médicaments pour le cœur, mais j'ai la forme. Je sais que tout peut s'arrêter à tout moment. Tiens, récemment, mon dentiste : soixante-deux ans, embolie cérébrale, plus personne. Je sais que ça peut m'arriver à moi aussi, alors je profite, je jouis de la vie autant que je peux. Trop parfois, peut-être. Quant à Carole, je préfère devancer ta question : Carole me fait du bien, voilà.

— Tu n'en diras pas plus...
— Non, je n'en dirai pas plus, mais je crois que c'est clair... (*Rires.*)

— Un mot sur Guillaume ? Ce matin, tu lui as rendu visite à la clinique où il se repose. Comment va-t-il ?
— Ça va mieux. Mais je ne veux pas parler de son état de santé. Tu sais, je n'ai accepté de faire ce livre ni pour me justifier, ni pour me faire aimer. Je l'ai fait parce que j'ai trouvé le bon interlocuteur. Toi et moi, on ne se connaissait pas. Très vite, j'ai compris que tu saurais faire preuve d'une écoute attentive, de compréhension. Je n'ai pas envie de mentir. Quand je mens, c'est à moi-même, jamais aux autres. « Je marche sans rien sur moi qui ne reluise, empanaché d'indépendance et de franchise » – Edmond Rostand, *Cyrano de Bergerac*. (*Rires, les derniers...*)

Le lendemain matin, lundi 28 juin 2004, Gérard Depardieu, au guidon de sa toute nouvelle Yamaha 1 300 cm³, était renversé par une voiture, en plein Paris, à un feu rouge. L'après-midi même, il était opéré à l'hôpital de la Salpêtrière, d'une double fracture ouverte au tibia et au péroné. A son réveil, l'un de ses premiers coups de fil fut pour Gérard Jugnot. Promis, juré, quoi qu'en diraient les médecins, il ferait tout pour ne pas retarder le tournage de

Boudu... *Quitte à venir à Aix-en-Provence avec des béquilles, s'il le fallait.*

Un peu plus tard, dans la soirée, il téléphona à l'auteur de ce livre pour le rassurer : « Ne t'inquiète pas, je suis toujours vivant ! »

« TU FAIS QUOI, LÀ ? »

Ma première rencontre avec Gérard Depardieu remonte au 15 avril 2000, à Cannes, lors du MIP-TV, le grand rendez-vous annuel des professionnels de la télévision. Ce soir-là, Gérard Depardieu devait assister à la présentation en avant-première du nouveau feuilleton de TF1 adapté de l'œuvre de Victor Hugo, *Les Misérables*, dans lequel il interprétait le rôle de Jean Valjean. Le hasard et la chance ont voulu que la chaise à ma gauche soit libre...

— *Je peux m'asseoir là, ça ne va pas te couper l'appétit ?*

— *...*

— *Je suis un peu en retard, mais j'étais à Cuba. J'ai cru que je n'arriverais jamais jusqu'ici. Tu connais Cuba ? C'est fou comme ça a changé, La Havane...*

— *Jamais mis les pieds à Cuba. Que faisais-tu à La Havane ? Tu as rencontré Castro ?*

— *Oui. Et je peux te dire qu'il est en pleine forme, le Fidel... Mais dis donc, ils vous ont montré les images des* Misérables. *C'est pas mal, hein ? Je vais te dire : le vrai cinéma populaire de qualité, aujourd'hui, c'est la télévision qui le fait.*

J'avais l'impression qu'on se connaissait depuis vingt ans. Je n'avais pas en face de moi « le plus grand acteur français vivant », le héros du *Dernier Métro* de Truffaut, le Cyrano de Bergerac de Rappeneau, l'abbé Donissan de Pialat, le fort en gueule un peu bourru que je m'étais imaginé, mais un type d'un naturel désarmant, pas bégueule pour deux sous, me racontant sa vie comme si on s'était quittés la veille.

— *Non, c'est vrai quoi : en deux heures, un film de cinéma peut s'intéresser à une période ou à un aspect de la vie de Napoléon. Mais le vrai cinéma populaire de qualité, c'est la télévision qui le fait. Elle seule peut prendre le temps de raconter. Elle donne des rendez-vous aux téléspectateurs... Le cinéma est un art qui préfère le coup de foudre aux rendez-vous programmés. Les gens de cinéma ont longtemps méprisé la télévision. Aujourd'hui, ils y viennent tous, acteurs, réalisateurs, et je peux déjà t'annoncer que le processus va s'accélérer. Le cinéma devient une bureaucratie. Que les spectateurs aillent voir leur film ou non, de toute façon, les producteurs gagnent leur vie. Il n'y a pas de sanction. A la télé, il y en a une : l'audience. Moi, je parle le langage des acteurs, pas celui des producteurs. Et toi, tu crois que ça va marcher,* Les Misérables *?*

— *Victor Hugo, le budget, le casting, je vois mal comment ça pourrait ne pas marcher...*

— *Tiens, le casting justement... Regarde Christian Clavier : il est formidable en Thénardier. Je lui ai proposé de faire Napoléon pour France 2 ! Franchement, tu connais un réalisateur ou un producteur de cinéma qui aurait pris un tel risque ? Des projets de comédie, il en reçoit tous les jours, il en a des dizaines qui s'entassent sur son bureau, mais des grands rôles tragiques, pas un ! Moi, je vais te dire : Clavier, c'est un grand acteur. Eh bien, c'est la télévision qui va faire prendre un nouveau virage à sa carrière et lui permettre de rebondir au cinéma. Tu verras...*

Ce livre d'entretiens est né de cette rencontre. J'avais vu la plupart de ses films, les plus importants en tout cas, mais ce soir-là, je n'avais pas l'acteur en face de moi : j'étais face à Gargantua. Un géant sympathique. Un colosse au regard franc et au rire déconcertant. Ses mains, surtout, m'impressionnaient. Elles me rappelaient celles de mon grand-père maternel, un cantonnier tourangeau qui travaillait sa terre et ses vignes... A cet instant précis, je n'ai eu qu'une obsession : le revoir. L'interroger, passer du temps avec lui, percer ses mystères, revisiter ses trente ans de carrière, partager ses passions, comprendre ses amitiés, ses excès, ses contradictions... L'écouter et l'accoucher de « ses vérités ». Un livre d'entretiens, donc...

Le convaincre fut une autre paire de manches. Ce 15 avril 2000, Gérard Depardieu arrivait de Cuba pour participer à une conférence de presse de TF1 sur *Les Misérables*. Le lendemain, à Cannes toujours, il participerait à une autre conférence de presse, mais pour France 2 cette fois, afin de présenter son *Napoléon*, une superproduction à quarante millions d'euros avec Christian Clavier dans le rôle-titre et John Malkovich dans celui de Talleyrand.

— Après-demain, je pars aux Etats-Unis. Il faut que je trouve une Joséphine de Beauharnais. J'ai pensé à Uma Thurman, à Julian Moore ou à Demi Moore. (Finalement, ce sera Isabella Rossellini.) *Qu'est-ce que t'en dis ? Tu comprends, il n'y a aucune raison de laisser les pays étrangers s'emparer de notre patrimoine national sans réagir. Autant le faire nous-mêmes en attirant sur le projet de grands acteurs américains, italiens et allemands, pour ensuite commercialiser les films sur les marchés extérieurs. Et, entre nous, on dit que le cinéma français s'exporte mal, mais je constate que quatre cents millions de Chinois ont vu* Monte-Cristo ! *Si*

Napoléon *marche bien, France 2 est déjà prête à faire un* Marquis de Sade *en quatre épisodes.* TF1 *est partante pour un* Notre-Dame de Paris *et a quasiment signé pour la trilogie d'Alexandre Dumas :* Les Trois Mousquetaires, Vingt ans après *et le* Vicomte de Bragelonne. *Clavier fera Aramis et moi Porthos ou Athos... Après, je ne sais pas, moi,* Les Raisins de la colère *de Steinbeck ou un classique de William Faulkner ou d'Ernest Hemingway...*

En clair, Gérard Depardieu avait sur son agenda assez de travail pour les dix ans à venir. Et encore ne m'avait-il rien dit de ses projets au cinéma et au théâtre, ni de ses prochaines vendanges en Anjou. De retour des Etats-Unis, il rejoindrait le tournage de *Vidocq*. Le 10 mai suivant, il monterait les marches du Palais des Festivals, à Cannes, au bras d'Uma Thurman, pour défendre le *Vatel* de Roland Joffé. Ensuite, il retournerait sans doute à La Havane pour régler quelques affaires... Au mois de juillet de la même année, il était opéré d'un quintuple pontage dans le service du professeur Dreyfus à l'hôpital Foch de Suresnes ! Trois semaines de convalescence et c'était reparti de plus belle : treize films en dix-huit mois, un record !

Dès lors, je ne l'ai plus lâché. Dix fois, vingt fois, cent fois, je l'ai harcelé pour qu'il accepte de faire ce livre. Dix fois, vingt fois, cent fois, j'ai essuyé son refus poli. J'ai rencontré ses plus proches collaborateurs, ses amis... Rien à faire ! Ni le temps ni l'envie. Jusqu'à ce coup de téléphone, le 19 avril 2004, quatre ans presque jour pour jour après notre première rencontre : « Tu fais quoi, là ? Rien ? Prends ton magnéto et passe à la maison... »

REMERCIEMENTS

Je tiens d'abord à remercier Gérard Depardieu pour son accueil, sa patience et sa disponibilité – et Dieu sait si son emploi du temps ressemble à celui d'un ministre !

Mes remerciements vont ensuite aux deux parrains et à la marraine de cœur de ce livre, qui n'ont pas ménagé leurs efforts pour que ce projet puisse voir le jour : Claude Davy et Bertrand de Labbey, les anges gardiens de Gérard, et Danièle Heymann, mon ange gardien personnel.

Ma gratitude va à Olivier Orban et Anthony Rowley, mes deux éditeurs, qui m'ont accompagné avec bienveillance et compréhension tout au long de l'écriture de ce livre.

Je n'oublie ni Elsa Bessot qui, pendant trois mois, a réalisé un véritable travail de titan pour transcrire l'intégralité de ces entretiens (promis, la prochaine fois, je demanderai à Gérard Depardieu de parler plus près du micro !), ni Antoine Bourguilleau pour la qualité de ses recherches documentaires.

Je n'oublie pas non plus Sophie, Lisa et Julien qui ont supporté en silence mes jours d'absence et mes nuits sans sommeil.

Une mention spéciale à *Nounours*, alias Michel Boyard, spécialiste mondial de l'huile d'olive et du système D, pour son sympathique accueil ; à Laurent

Audiot, pour sa gentillesse et pour la qualité de sa cuisine ; à Michel Gryner, pour ses conseils précieux ; et à tous ceux qui m'ont soutenu, aidé, conseillé, et qui me pardonneront de ne pas les citer.

Enfin, un grand merci à André Téchiné qui, à Tanger, m'a permis de me glisser discrètement sur le plateau de tournage de son dernier film, *Les temps qui changent*, et à Gérard Jugnot qui m'a gentiment accueilli dans le château de Saint-Jean-de-Garguier à Géménos sur le tournage de *Boudu sauvé des eaux*. Qu'ils soient ici remerciés comme il se doit.

TABLE

Ouvrage composé par Nord Compo

ranscontinental
IMPRESSION
IMPRIMERIE GAGNÉ

IMPRIMÉ AU CANADA